FRIEDRICH SCHLEIERMACHER

KURZE DARSTELLUNG DES THEOLOGISCHEN STUDIUMS

BIBLIOTHEK KLASSISCHER TEXTE

WISSENSCHAFTLICHE BUCHGESELLSCHAFT
DARMSTADT

FRIEDRICH SCHLEIERMACHER

KURZE DARSTELLUNG DES THEOLOGISCHEN STUDIUMS ZUM BEHUF EINLEITENDER VORLESUNGEN

Kritische Ausgabe
herausgegeben von

HEINRICH SCHOLZ

WISSENSCHAFTLICHE BUCHGESELLSCHAFT
DARMSTADT

Berechtigter, unveränderter reprografischer Nachdruck 1993
der dritten, kritischen Ausgabe, Leipzig 1910.
(Quellenschriften zur Geschichte des Protestantismus,
hrsg. von Carl Stange. Heft 10)

Die Deutsche Bibliothek – CIP-Einheitsaufnahme

Schleiermacher, Friedrich:
Kurze Darstellung des theologischen Studiums
zum Behuf einleitender Vorlesungen / Friedrich
Schleiermacher. Hrsg. von Heinrich Scholz. –
Kritische Ausg., berechtigter, unveränd. reprogr.
Nachdr. der 3. kritischen Ausg. Leipzig, Deichert,
1910. – Darmstadt: Wiss. Buchges., 1993
(Bibliothek klassischer Texte)
ISBN 3-534-00908-8
NE: Scholz, Heinrich [Hrsg.]

Bestellnummer 00908-8

Druck und Einband: Wissenschaftliche Buchgesellschaft, Darmstadt
Gedruckt auf säurefreiem und alterungsbeständigem Werkdruckpapier
Printed in Germany

ISBN 3-534-00908-8

E prophetico genere, si veniam demus, dicat aliquis eam esse methodum, dicat quoque e poetico, interiori illo vocis sensu, quo Aristotelici poetici dicuntur.

Nitzsch, Observationes ad theologiam practicam felicius excolendam. Bonner Programm 1831 p. 2.

Inhalt.

Vorrede.

Die Wendung zu Schleiermacher ist zweifellos eine der wichtigsten Bewegungen auf dem Felde der systematischen Theologie seit dem Tode Albrecht Ritschls. Es hat sich in zwanzigjähriger Prüfung gezeigt, daß der Göttinger Meister dem Theologen der Glaubenslehre doch nicht so überlegen ist, wie er selbst von sich geglaubt hat. Mehr und mehr hat man angefangen, auf die Schleiermacherschen Problemstellungen zurückzugehen, sie historisch zu analysieren und auf ihre bleibende Bedeutung zu prüfen. Man hat dabei Wertvolles und Wertvollstes entdeckt und ist, wenn auch langsam und zögernd genug, im Historischen gerechter, im Prinzipiellen vertrauensvoller gegen ihn geworden. Man ist auf dem Wege, zu erkennen, daß jede lebendige Berührung mit ihm, wie die lebendige Berührung mit Kant, geistige Renaissance bedeutet. Ein ersichtlich intensiveres Studium seiner Werke ist die Folge dieser Erkenntnis.

An die Freunde des Schleiermacherstudiums wendet sich die vorliegende Publikation. Sie möchte ihnen Schleiermachers theologisches Programm in einer kritischen Ausgabe bieten. Dazu gehörte der synoptische Druck der beiden von Schleiermacher selbst besorgten Texte, deren bequeme Darbietung nicht nur ein immanentes Hilfsmittel zum Verständnis der Gedanken, sondern zugleich ein wichtiges Dokument zur Entwicklungsgeschichte der Schleiermacherschen Theologie erschließt.

Die Einrichtung ist so getroffen, daß der Text der zweiten Auflage voransteht und die korrespondierenden Paragraphen der ersten Ausgabe in Petit-Druck darunter mitgeteilt sind. Da Schleiermacher bei der zweiten Bearbeitung hin und her Paragraphenkomplexe umgestellt hat, so habe ich, wo es der Sinn erlaubte, um die Übersicht nicht zu schädigen, den Text der ersten Auflage im ganzen nach dem der zweiten umgestaltet, aber durch regelmäßige Verweisungen den Leser in Stand gesetzt, sich überall leicht die ursprüngliche Ordnung wiederherzustellen. In den wenigen Fällen, wo der Aufbau des Textes dieses Verfahren nicht zuließ, wo eine Paragraphenfolge innerlich verändert war, habe ich mich darauf beschränkt, Gruppe gegen Gruppe zu setzen, und dies auch äußerlich durch Kursivdruck angedeutet. Außerdem sind Einzelparagraphen der ersten Auflage, die in der zweiten gestrichen sind, durch Kursivdruck ausgezeichnet.

Der Text beruht, wie selbstverständlich, auf genauer Vergleichung der Originale und wiederholt dieselben mit allen sprachlichen Eigentümlichkeiten und Unebenheiten, z. B. Ahndung statt Ahnung, neutestamentisch statt neutestamentlich, keinesweges statt keineswegs; aber auch fordern neben fodern, zusammenhängen neben zusammenhangen usf. Ebenso wurde darauf verzichtet, die leider sehr ungleichmäßigen Sperrungen Schleiermachers, die das Verständnis erleichtern sollen, in seinem Sinne zu ergänzen. Dagegen ist Orthographie und Interpunktion den neuen Regeln angepaßt. Die wenigen Konjekturen, die ich mir unverbindlich erlaubt habe, sind teils in eckigen Klammern im Text, teils als Anmerkungen mitgeteilt worden.

Die Einleitung, die neben der Entstehungsgeschichte die wichtigsten Prolegomena zum Verständnis des äußerst schwierigen Textes enthält, möchte beiden, dem Forscher und dem Anfänger, dienen. Das beigefügte Register berücksichtigt neben den Grundbegriffen der Schleiermacherschen Theologie namentlich die Problemstellungen der Glaubenslehre, gleichviel, ob sie in der Enzyklopädie nur angedeutet oder fortgeführt werden. Die Vergleichung wird immer lehrreich sein.

Eine Umschreibung der in der zweiten Ausgabe der Glaubenslehre zitierten Paragraphen der ersten Auflage der Enzyklopädie in die korrespondierenden Paragraphen der zweiten wird um so weniger erforderlich sein, als Stange in seiner kritischen Neu-Ausgabe der Glaubenslehre (neuntes Heft dieser Sammlung, Leipzig 1910) alle nötigen Verweisungen bequem zusammengestellt hat (S. 220f.).

Die ‚Kurze Darstellung' ist nach Schleiermachers Tode noch einmal im ersten Bande der theologischen Abteilung seiner Werke gedruckt worden. Außerdem ist sie in Hendels Bibliothek der Gesamtliteratur Nr. 833—834 und in der Bibliothek theologischer Klassiker (Gotha, Perthes) mit anderen kleineren Schriften zusammen 1893 als 48. Band erschienen. Alle drei Ausgaben beschränken sich auf den Text der zweiten Auflage und bieten auch diesen nicht kritisch-korrekt.

Berlin, im September 1910.

Heinrich Scholz.

Einleitung.[1]

§ 1.

Entstehung und Wirkungen.

Die Kurze Darstellung des theologischen Studiums ist eine Frucht der akademischen Lehrtätigkeit Schleiermachers und das erste klassische Dokument seiner unvergleichlich-systematischen Begabung auf dem Felde der Theologie. Eine gute und gründliche Einführung in den Zusammenhang der theologischen Disziplinen hat Schleiermacher von dem Moment an, wo er das Katheder bestieg, für einen wertvollsten Dienst an der akademischen Jugend und für eine wichtigste Aufgabe des akademischen Lehramtes gehalten.

So fügte es sich, daß er bereits in seinem ersten Semester in Halle, Winter 1804/05, ‚Enzyklopädie und Methodologie' ankündigte und las.[2] Der Anfang wurde ihm schwer genug; aber dann fand er sich in die Aufgabe und dachte schon im November daran, das glücklich in Gang gebrachte Kolleg zu einer stehenden Vorlesung zu machen (Br. G. 2, vgl. Br. IV 105). Im Sommer 1805 hat er es gleich noch einmal gelesen[3], und

---

[1]) Abkürzungen: Br. I—IV = Schleiermachers Leben in Briefen, hrsg. von Jonas und Dilthey. Vier Bände. I, II zweite Auflage 1860, III 1861, IV 1863.

Br. G. = Schleiermachers Briefwechsel mit Gaß, hrsg. von W. Gaß 1852.

[2]) Intelligenz-Blatt der Hallischen L. Z. 1804 Nr. 155 p. 1249.

[3]) Ibid. 1805 Nr. 56 p. 449.

sich bei der Wiederholung in seiner ganzen Ansicht sehr bestärkt gefühlt (Br. G. 28). Er hat sich schon damals Aufzeichnungen gemacht und das freilich sehr fragmentarische Konzept, das den ersten Teil unvollständig, den zweiten gar nicht, vom dritten nur die erste Hälfte enthielt, im November 1805 seinem Freunde Gaß zur Durchsicht geschickt; dachte er doch bereits daran, bei der nächsten Wiederholung einen gedruckten Abriß im gedrängtesten Stil dem mündlichen Vortrag zum Grunde zu legen (Br. G. 36 f.).

Das sollte, nach seiner damaligen Absicht, im Winter 1806/07 geschehen. Aber da war Halle nicht mehr. Die Katastrophen von Jena und Auerstedt hatten die Universität zertrümmert. Und erst im Winter 1808 kam Schleiermacher dazu, die Enzyklopädie wieder vorzutragen. Es war in Berlin, wo er, mit Friedrich August Wolf, Fichte u. a., als designierter Professor der zu erwartenden Universität, aus freiem Antrieb Vorlesungen hielt. Das 2-stündig angekündigte Kolleg ist am 7. Januar 1808 begonnen worden.[1])

Und wieder war es die Enzyklopädie, mit deren Vortrag er das erste Semester der neugestifteten Hochschule, Winter 1810/11, eröffnete. Hatte er sie auch diesmal noch zweistündig gelesen, so wagte er es im nächsten Winter, 1811/12, „vor einem halben Dutzend Zuhörern" (Br. IV 184), sie dreistündig vorzutragen. Die nächste Wiederholung, die für den Winter 1813/14 in Aussicht genommen war, ist, wegen gänzlicher Verödung der Universität durch den Krieg mit Napoleon, nicht zustande gekommen (Br. G. 114). Dafür hat sich die Enzyklopädie in den beiden folgenden Lesungen, Winter 1814/15 und Winter 1816/17, zu einem vierstündigen Kolleg er-

---

[1]) Vgl. Köpke, Die Gründung der Universität Berlin 1860 S. 58 und 141, und die Ankündigung in der Spenerschen Zeitung 1807 Nr. 156. — Schleiermacher war im September 1807 für die in Aussicht gestellte Universität vorgemerkt worden (Köpke, a. a. O. S. 44, Br. G. 72) und hat am 14. Juli 1808 auf Humboldts Antrag vom 5. Juli ein Wartegeld von 500 Talern erhalten (Köpke S. 64).

weitert. Endlich, im Winter 1819/20, hat Schleiermacher sie fünfstündig gelesen — und zwar Morgens von 7—8 Uhr! Damit waren die Maße endgiltig festgelegt. Als fünfstündiges Kolleg hat Schleiermacher die Enzyklopädie noch viermal vorgetragen: in den Sommersemestern 1824, 1827, 1829 und im Winter 1831/32.[1])

Schleiermacher hat demnach in dreißig Jahren zwölfmal Enzyklopädie gelesen; sie gehört mit der theologischen Ethik, die er auch zwölfmal, und der Dogmatik, die er dreizehnmal vorgetragen hat, zu seinen theologischen Hauptkollegien und ist in der Tat eine „stehende Vorlesung" geworden. Er hat sie zweimal in Halle, zehnmal in Berlin gehalten: viermal zweistündig — denn die beiden Vorlesungen in Halle werden auch zweistündig gewesen sein: länger gewiß nicht, da er sie auch in Berlin zunächst so gehalten hat; aber auch nicht kürzer, da sie nicht als Publika angekündigt waren — einmal dreistündig, zweimal vierstündig und fünfmal fünfstündig.

Es wäre wichtig und für die Aufklärung der Entwicklungsgeschichte und das Verständnis einzelner Partieen des Werkes, namentlich des ersten Teils und der geschichtsphilosophischen Erörterungen des zweiten, ein großer Gewinn, wenn noch erläuternde Aufzeichnungen von Schleiermacher oder Nachschriften existierten. Leider sind Nachforschungen vergeblich gewesen. Das Archiv der Literatur-Gesellschaft in Berlin, das den zugänglichen Nachlaß Schleiermachers verwahrt, enthält nichts davon, und auch Herr Professor Dilthey erklärt, kein Erläuterungsmaterial zu besitzen. Wir sind also auf den Text beschränkt, den Schleiermacher selbst hat drucken lassen.

Der Gedanke an den Druck ist fast so alt wie die Vorlesung selbst. Schon im Oktober 1804 hat Schleiermacher eine Drucklegung der Leitsätze ins Auge gefaßt.[2]) Alt-

[1]) Die Daten nach dem Berliner Lektionskatalog.

[2]) 13. Okt. 1804 an Reimer: Vielleicht ist auch die Enzyklopädie das erste, worüber ich etwas drucken lasse (Br. IV 105).

modische Prinzipien und bedenklichste Begriffe von der Aufgabe und Methode des theologischen Studiums, wie sie bald nach seiner Berufung von der Hallischen Fakultät erneuert wurden, unterstützten den Plan und befestigten in Schleiermacher die Idee einer kurzen öffentlichen Darstellung seiner eigenen, durchaus abweichenden Ansicht. Um so mehr, als er sich, aus Solidaritätsgefühl, in einen peinlichen Widerspruch mit sich selbst verwickelt hatte. Im Jahre 1805 hatte die theologische Fakultät in Halle eine „Anweisung für angehende Theologen zur Übersicht ihres Studiums und zur Kenntnis der vorzüglich für sie bestimmten Bildungsanstalten und anderer akademischer Einrichtungen auf der königlich preußischen Friedrichs - Universität“ in Druck gegeben.[1]) Dieses Programm — ein Manifest von 32 Seiten — war ein echtes Zeichen der Zeit, d. i. der Epoche, die Schleiermacher und sein Geschlecht zu überwinden berufen waren. Geistlos, formlos, überladen und pedantisch, stellte es den schulmäßig-schulmeisterlichen Betrieb möglichst vieler Disziplinen, ohne Rücksicht auf die idealen Faktoren, in denen das Schleiermachersche Geschlecht unter der Führung Fichtes und Schellings die bewegenden Kräfte und den wahrhaften Wert der Wissenschaft entdeckt hatte, als die Normalform des theologischen Studiums dar. Das unerfreuliche Dokument war in der Jenaer L. Z. 1806 Nr. 79 und 78 von einem ungenannten Rezensenten wegen seiner unfreien, utilitarisch-beschränkt-verwirrenden Haltung heftig angegriffen worden. Schleiermacher fand die Kritik recht „brav“, lobte sie auch unter Freunden während eines vorübergehenden Aufenthaltes in Berlin (Br. G. 45), hatte aber gleichwohl, da er inzwischen (am 7. Februar 1806) zum Ordinarius aufgerückt war, aus kollegialischen Rücksichten und um nicht gleich bei der ersten Gelegenheit als Fremdnatur zu erscheinen, die offizielle

---

[1]) Ein Exemplar dieses selten gewordenen Schriftchens befindet sich auf der Königsberger Universitätsbibliothek.

Gegenkundgebung der Hallischen Fakultät mit unterschrieben (Br. G. 52). Um so bestimmter dachte er daran, für den nächsten Vortrag der Enzyklopädie ein eigenes Heftchen drucken zu lassen.[1])

Das wäre vielleicht schon im Winter 1806 geschehen, wenn nicht der Krieg und die Aufhebung der Universität dazwischen gekommen wäre. Es hat dann noch vier Jahre gedauert, bis der erste Text erschien. Daß Schleiermacher in der Unruhe des Jahres 1808, wo er die Enzyklopädie wieder vortrug, zu keiner Drucklegung gekommen ist, begreift sich aus der Lage der Zeit und aus den wichtigeren Dingen, die ihn damals beschäftigten, der Gründung der Berliner Universität und der Gründung des eigenen Hauses. So verschob sich der Plan bis zur Eröffnung der neuen Hochschule, ja über dieselbe hinaus.[2]) Der „Lehrplan", d. i. die Arbeit in der Kommission zur Errichtung der Universität, in die er auf Humboldts Antrag durch Kabinetsordre vom 30. Mai 1810 mit Uhden und Süvern berufen war, und die in der Zeit vom 3. Juni bis 4. Oktober in einigen zwanzig Sitzungen tagte,[3]) machte ihm die rechtzeitige Ausarbeitung des Textes unmöglich; am 1. September war noch nichts geschrieben (Br G. 78). Vermutlich hat die Ausarbeitung, da die zeitraubende Universitätskommission bis in den Oktober hinein tagte, erst mit der Vorlesung selbst begonnen. Sie erstreckte sich bis zum Ende des Jahres. Die Vorrede ist im Dezember

---

[1]) So an Gaß, im Sommer 1806 (Br. G. 53). — An Reimer hatte er schon unter dem 25. Dezember 1805 geschrieben, daß er zur nächsten Michaelismesse mit einem kleinen theologischen Kompendium aufzutreten gedenke (Br. II 48).

[2]) Daß Schleiermacher ihn auch in der Zwischenzeit nicht aus den Augen gelassen hat, zeigt ein Brief an H. von Willich, wo er, unter dem 28. März 1809, Folgendes schreibt: Bleibt es dabei, daß die Universität, wie es die meisten hoffen, Michaeli eröffnet wird, dann siehst Du mich noch diesen Sommer ein Büchlein schreiben, nur ein kleines akademisches Handbuch (Br. II 235).

[3]) Köpke, S. 76.

geschrieben. Am 29. Dezember konnte Schleiermacher seinem Freunde Gaß in Breslau mitteilen, daß die Enzyklopädie nun endlich fertig geworden sei. „Ich bin neugierig," fügt er hinzu, „ob sie eine neue Quelle von Verketzerungen werden wird. Mir sind die Sachen nun durch vielfache Behandlung so familiär geworden, daß ich nicht finde, was Anlaß dazu geben könnte. Nur daß viel Gespenster darin seien, werden die Leute sagen, theologische Disziplinen, die es nie gegeben habe und nie geben werde. Da werde ich nun den Beweis durch die Tat zu führen haben, was aber freilich zum Teil erst nach Erscheinung meiner Ethik geschehen kann." (Br. G. 87).

Der genaue Titel der ersten Auflage, bei deren Ausarbeitung Schleiermacher erfahren sollte, „wie ungeheuer schwer ein Kompendium ist," [1]) ist folgender: Kurze Darstellung des theologischen Studiums, zum Behuf einleitender Vorlesungen entworfen von F. Schleiermacher, der Gottesgelahrtheit Doktor und öffentl. ordentl. Lehrer an der Universität zu Berlin, evang.-ref. Prediger an der Dreifaltigkeitskirche daselbst, ordentl. Mitglied der Königl. Preuß. und korresp. der Königl. Bairischen Akademie der Wissenschaften.[2]) Berlin 1811. In der Realschulbuchhandlung.

Es war eine Programmschrift erster Ordnung, voll neuer, epochemachender, revolutionärer Ideen, die Schleiermacher mit seinem Kompendium der theologischen Welt und Wissenschaft vorlegte. Er selbst ist sich dessen bewußt gewesen und dachte nicht gering von seinem Entwurf. Als er gehört hatte, daß der Breslauer Theologe und Kirchenhistoriker Augusti das Schriftchen in Weimar als einen geistreichen Scherz verbreitet haben sollte — was übrigens nicht zutraf (Br. G. 105 f.) — schrieb er an Gaß, nicht ohne ein leises Zeichen von Unmut: „Du kannst ihm immer sagen, mir sei es

---

[1]) So noch am 12. Juni 1813 an Fr. Schlegel (Br. III 430).

[2]) Mitglied der Münchener Akademie ist Schleiermacher, wie Herr Pastor Merkel-München für mich festzustellen die Güte gehabt hat, durch Reskript vom 19. März 1808 geworden.

so ernst damit, daß ich es ordentlich für eine Probe halte, ob es jemand mit der Theologie ernstlich und im rechten Sinne meint, wenn es ihm wenigstens ernsthaft vorkommt (Br. G. 103)." Um so auffallender ist es, daß die Kritik das Büchlein, trotz der Berühmtheit seines Verfassers, fast gänzlich mit Schweigen übergangen hat. Weder die Hallische, noch die Jenaische Literaturzeitung hat von dem Abriß Kenntnis genommen, auch später nicht, als er in zweiter, erweiterter Auflage erschien. Ebenso stumm sind Fachzeitschriften und Rezensionsorgane, von denen etwa zwanzig eingesehen wurden, an beiden Auflagen vorübergegangen. Nur die Heidelberger Jahrbücher der Literatur haben eine ausführliche Analyse und Kritik des Schleiermacherschen Kompendiums gebracht: 1812 S. 511—530. Verfasser der Anzeige, die mit S. unterzeichnet ist, ist höchst wahrscheinlich und nahezu gewiß der Heidelberger Dogmatiker und spätere Freund Schleiermachers, F. H. Chr. Schwarz.[1]) Die verständnisvolle und sympathische Rezension analysiert das Schleiermachersche Programmbüchlein vortrefflich. Der ungemeine Horizont des Entwurfs und die systematisch-schöpferische Kraft seines Urhebers werden rückhaltlos anerkannt. Unter den geltend gemachten Bedenken sind drei Bemerkungen hervorzuheben: 1. der Protest gegen die Zurücksetzung des Alten Testamentes (S. 526); 2. der Zweifel an der Berech-

---

[1]) 1766—1837, Schwiegersohn Jung-Stillings, seit 1804 Geheimer Kirchenrat und Daubs Kollege in Heidelberg, Verfasser eines Grundrisses der kirchlich-protestantischen Dogmatik (Heidelberg 1816). Schleiermacher, der ihn im Herbst 1814 persönlich kennen und schätzen lernte, hat ihn in der Vorrede zur zweiten Auflage der Glaubenslehre p. V als den ersten Dogmatiker der Unionskirche und damit als seinen Gesinnungsvorgänger ausgezeichnet. — Daß hinter dem S. sich Schwarz verbirgt, ist dadurch erwiesen, daß in der von ihm verfaßten Besprechung der Glaubenslehre, in den Heidelberger Jahrbüchern 1822 u. 23, einer der ersten und bedeutendsten Anzeigen des großen Werkes, ein schon in dem kritischen Referat über die Enzyklopädie gegen Schleiermacher erhobener Einwurf pünktlich wiederholt wird. Näheres siehe unten.

tigung und Durchführbarkeit des Gedankens, die Theologie auf die Ethik zu gründen und dadurch organisch mit der absoluten Wissenschaft zu verbinden (S. 523); 3. die entschiedene Ablehnung der methodischen Regel, daß die philosophische Theologie als Wissenschaft vom Wesen des Christentums ihren Standpunkt über dem Christentum nehmen müsse. Es ist der einzige Punkt, wo unser Kritiker scharf und erregt wird und seine ruhige Sachlichkeit opfert; er nennt dieses Prinzip „in der Wurzel unchristlich“ und steht nicht an, es geradezu als ein Werk der Erbsünde zu bezeichnen (S. 525).[1])

Fragt man, ob und wie diese Kritik, die einzige, die uns bekannt geworden ist, auf Schleiermacher gewirkt hat, so kann die Antwort nur durch Vergleichung der zweiten Auflage gewonnen werden. Dabei ergibt sich, daß Schleiermacher an allen drei Punkten bei seiner Ansicht geblieben ist. Nur in Bezug auf den dritten hat er sich in der zweiten Auflage schärfer und unmißverständlicher gefaßt. Er hat § 7 S. 70 der ersten Auflage (S. 97 unserer Ausgabe) als eine überflüssige Wiederholung von § 4 S. 12 (S. 14 unserer Ausgabe) gestrichen, und in dem korrespondierenden § 33 der zweiten Auflage ausdrücklich hervorgehoben, daß der Standpunkt der philosophischen Theologie über dem Christentum rein logisch-formal, als Aufstieg zum Allgemeinbegriff der Religion, durchaus nicht als inhaltliche, von Werturteilen getragene Erhebung über das Christentum gedacht sei. Da-

[1]) Sachlich identisch, wenn auch in der Form sehr viel milder, hat der Verfasser zehn Jahre später über denselben kritischen Punkt in der Anzeige der ersten Auflage der Glaubenslehre geurteilt. „Die Worte, womit der § 6 schließt „Sollen wir also andere Glaubensweisen in ihrer Wahrheit betrachten, so müssen wir auch um deswillen unser tätiges Verhältnis zum Christentum für diese Zeit ruhen lassen“, müßte Ref. nach seiner Überzeugung dahin umändern, daß wir gerade dafür und für diese Zeit unser tätiges Verhältnis im Christentum aufs stärkste wirken lassen“ (Heidelberger Jahrbücher 1822 S. 965).

mit ist aber materiell nichts geändert, sondern nur in der Form präzisiert, was Schleiermacher schon 1811 allein gewollt und gefordert hat, und was ein aufmerksamer Leser schon damals nicht hätte mißverstehen sollen.

Trotz der erstaunlich geringen Beachtung, die Schleiermachers Kompendium in der öffentlichen Kritik gefunden hat, ist es, schon in seiner ersten Fassung, nicht ganz ohne Wirkungen geblieben. Das erste Zeugnis dafür ist, merkwürdig genug, eine katholische Enzyklopädie: Kurze Einleitung in das Studium der Theologie, von Joh. Seb. Drey, Tübingen 1819. Der Verfasser, der p. IV der Vorrede Schleiermachers Grundriß mit Achtung nennt, teilt ganz und gar dessen Wissenschaftsbegriff, der die Theologie der Aggregate zertrümmert, um eine methodisch organisierte, vielmehr sich selbst organisierende Theologie an ihre Stelle zu setzen (p. IV u. V). Wie die prinzipielle Haltung, so ist auch manches wichtige Stück des ausgeführten Entwurfs von Schleiermachers Einfluß zeugend: so die eigentümliche, bis auf den Wortlaut durch Schleiermacher bestimmte Erweichung der überlieferten Schulbegriffe ‚orthodox' und ‚heterodox' zu Symbolen für die auf Erhaltung und Umgestaltung der überkommenen Lehrform gerichteten Bestrebungen (S. 173). — Zu den Wirkungen Schleiermachers kann auch gerechnet werden, daß Gaß in Breslau, im Winter 1822/23, nach seinem Leitfaden Enzyklopädie vortrug (Br. G. 195).[1])

Bei so begrenztem Wirkungsfelde kann es nicht auffallen, daß erst nach zwanzig Jahren eine neue Auflage nötig wurde. Sie erschien im Spätherbst 1830; die Vorrede ist im Oktober geschrieben, der Druck wird Mitte November vollendet gewesen sein. Am 18. November konnte Schleiermacher an Gaß berichten, daß die zweite Auflage der Enzyklopädie fertig sei (Br. G. 228). Nachrichten über den Gang und den

[1]) Dasselbe hat Schleiermachers Nachfolger Twesten im Winter 1842/43 in Berlin getan (nach dem Lektionskatalog).

Zeitraum der Ausarbeitung, die mit der Revision der Glaubenslehre zusammenfiel, sind nicht vorhanden. Der genaue Titel der zweiten Auflage lautet: Kurze Darstellung des theologischen Studiums zum Behuf einleitender Vorlesungen. Entworfen von Dr. Fr. Schleiermacher. Zweite umgearbeitete Ausgabe. Berlin 1830. Gedruckt und verlegt bei G. Reimer.

Die angekündigte Umarbeitung stellt sich vor allem als Erweiterung dar. Sämtliche Paragraphen haben in der zweiten Ausgabe Erläuterungen erhalten, die den oft rätselhaft gedrängten Text des ersten Entwurfs dem allgemeinen Verständnis näher bringen und dadurch eines der wichtigsten Hindernisse für die Wirkung des Werkes aus dem Wege räumen sollen.[1]) Eine ausführliche Untersuchung der Unterschiede beider Auflagen würde die Grenzen dieser Einleitung überschreiten. Sie müßte, um exakt zu sein, von Paragraph zu Paragraph vollzogen werden, und bleibt dem Studium des Lesers überlassen. Im ganzen wird man sagen dürfen, was Schleiermacher von der zweiten Auflage der Glaubenslehre in ihrem Verhältnis zur ersten gesagt hat: er habe viel und auch wieder nichts geändert (Br. G. 222). Der Text ist fast überall umgeschrieben, erweitert, verkürzt, und hin und her auch in größeren Zusammenhängen überarbeitet und neu geordnet. Die leitenden Prinzipien aber sind durchaus dieselben geblieben und mit ihnen das Gefüge des Schleiermacherschen Entwurfs. Unter den größeren Veränderungen ist nur die Umstellung der beiden Hauptteile der Praktischen Theologie zu erwähnen, der aber nach Schleiermachers eigener Aussage keine methodische Bedeutung zukommt (vgl. S. 106

[1]) Die nachteiligen Folgen des körperlosen Paragraphenstils der ersten Auflage hat schon Twesten richtig empfunden, wenn er, unter dem 23. März 1823, an Schleiermacher schreibt: Überhaupt ist bei allem, was Sie schreiben, gewiß mehr die Kürze, als die Ausführlichkeit zu bedauern . . . So hätte schon Ihre Enzyklopädie weit tiefer eingreifen müssen, wenn die Kürze derselben sie nicht vielen zu einem verschlossenen Buch gemacht hätte (Heinrici, August Twesten 1889 S. 380).

unserer Ausgabe). Daß im einzelnen Vieles, und durchaus nicht nur Gleichgiltiges geändert ist, kann hier nur angedeutet werden. So wird, um nur ein Beispiel zu nennen, der dogmatische Beweis in der ersten Auflage (S. 60 [S. 80 unserer Ausgabe] § 20) abhängig gemacht von dem Befunde des Kanons und der Spekulation, die in der zweiten Auflage (§ 210) gestrichen ist, usf.

Wiewohl auch der zweite, verbesserte Entwurf keine selbständige Besprechung gefunden hat, so hat er doch ganz anders gewirkt. Die inspirierende Kraft und Größe, die Nitzsch und Lücke ihm nachgerühmt haben,[1]) ist durch die Geschichte bestätigt worden. Kein namhafter Methodiker des 19. Jahrhunderts, der nicht in der Auseinandersetzung mit ihm sich seine Prinzipien gebildet hätte! Den Umfang dieser Wirkungen zu beschreiben, können wir uns um so eher erlassen, als dies erst jüngst mit erschöpfender Gründlichkeit von Alfred Eckert geschehen ist, in seiner ‚Einführung in die Prinzipien und Methoden der evangelischen Theologie', Leipzig 1909, S. 23—51. Am stärksten scheint Schleiermacher gewirkt zu haben auf den Schwedischen Theologen Propst Reuterdahl (1795—1870; vgl. Haucks Real-Enzyklopädie, dritte Auflage, Bd. 16, S. 705 ff.), dessen enzyklopädischer Entwurf (Inledning litt Theologien. Lund 1837. VIII u. 520 S.) der einzige zu sein scheint, der die Theologie mit Schleiermacher in einen philosophischen, historischen und praktischen Teil zerlegt, und, mit Rothes Abriß, der einzige, der auch die Einordnung der Dogmatik in die historische Theologie von Schleiermacher übernommen hat.[2]) Unter den

---

[1]) Nitzsch, Observationes ad theologiam practicam felicius excolendam, Bonner Programm 1831 p. 2: e prophetico genere, si veniam demus, dicat aliquis eam esse methodum, dicat quoque e poetico, interiori illo vocis sensu, quo Aristotelici poetici dicuntur. — „Mehr eine Theologie der Zukunft, als der Gegenwart" (Lücke, in den ‚Studien u. Kritiken' 1834 S. 973).

[2]) Der genauere Aufbau des in Deutschland nicht zugänglichen Werkes (vgl. auch Eckert, a. a. O. S. 39 Anm. 43), ist, nach einer gütigen Mitteilung von Herrn Professor Söderblom-Upsala, folgender:

deutschen Entwürfen ist zweifellos Rothes Kompendium (Theologische Enzyklopädie, hrsg. von H. Ruppelius, Wittenberg 1880), nach Form und Gehalt (bis auf die spekulative Theologie, durch die er die philosophische Schleiermachers ersetzt) weitaus am meisten durch Schleiermacher bestimmt. Rothe ist, mit A. Dorner (Grundriß der Enzyklopädie der Theologie, Berlin 1901), der aber sachlich ganz andere Wege geht, der einzige, der sich, wie Schleiermacher, sehr zum Gewinn für die pünktliche Erörterung des Strukturproblems, auf eine formale Übersicht beschränkt hat, wie er mit Reuterdahl der einzige ist, der die Dogmatik mit Schleiermacher zu den historischen Disziplinen zieht.

§ 2.
Gehalt und Gliederung.

Es kann nicht die Aufgabe dieser Einleitung sein, den Gehalt des Schleiermacherschen Entwurfs analytisch zu entwickeln, nachdem erst eben Alfred Eckert in seiner oben genannten ‚Einführung' eine ebenso genaue, wie in den Hauptstücken überzeugende Würdigung des Werkes geliefert hat (S. 52–96. Vgl. auch das kritische Referat von W. Bender,

I. Theologins begrepp (Begriff)
II. Theologins utgrening (Verzweigung)
  A) Philosophische Theologie
    a) Religions-Psychologie
    b) Religionsgeschichte u. -philosophie
    c) Apologetik
    d) Polemik
  B) u. C) wie bei Schleiermacher. — Schleiermachers Einfluß auf Schweden anlangend, ist es wichtig zu wissen, daß Schweden das einzige außerdeutsche Land ist, das eine Übersetzung der Glaubenslehre besitzt. Die Übertragung ist, wie Herr Prof. Söderblom mir gleichzeitig mitteilt, nach der zweiten Auflage erfolgt, von Dr. Ignell, unter dem Titel: Den christliga tron (tro = Glaube), eftar evangeliska kyrkans grundsatser, Stockholm, Hoeggström 1842—46, sechs Lieferungen.

Schleiermachers Theologie II 1878 S. 299—350). Nur einige Hauptpunkte, die den geschichtlichen Fortschritt bezeichnen, sollen kurz umschrieben werden.

Drei Stücke sind es, durch die sich der Schleiermachersche Entwurf prinzipiell von allen früheren Entwürfen unterscheidet und neue, epochemachende Gesichtspunkte aufschließt: (1). die Deduktion der Theologie aus einem einzigen organisierenden Prinzip; (2). die Entdeckung der kritischen Methode, jenseits von Spekulation und Empirismus; (3). die Einordnung der Theologie in das System der Geistes-, oder, wenn Rickerts, durch Schleiermachers Ethik vorbereiteter Ausdruck vorzuziehen ist, der Kulturwissenschaften. In diesen charakteristischen Stücken sind folgende Hauptmomente enthalten.

(1). Der Versuch, die Theologie aus einem Prinzip zu deduzieren, ist, innerhalb der theologischen Wissenschaft, eben so neu und überraschend, wie die Erzeugung dieses Prinzips aus dem Motiv der Kirchenleitung. Vergleicht man die gangbarsten älteren Enzyklopädien von Nösselt und Planck,[1]) die Schleiermacher selbst noch bei seinen ersten Vorlesungen zur Ausfüllung benutzt hat (Br. G. 2), so ist der neue Geist seines eigenen Entwurfs an diesem Punkte am stärksten fühlbar. Nösselt und Planck stellen die einzelnen theologischen Disziplinen einfach empirisch nebeneinander, ohne nach dem inneren Zusammenhang zu fragen. Für Schleiermachers Entwurf ist gerade diese Frage grundlegend geworden: das macht der neue Wissenschaftsbegriff, in den er sich hineingedacht hat. Er hat ihn nicht selbst entdeckt. Er ist unter Kantischen Anregungen zuerst von dem älteren Reinhold entwickelt, dann von Fichte ausgebaut und endlich von Schelling, in seinen Vorlesungen über die

---

[1]) Joh. Aug. Nösselt († 1807), Anweisung zur Bildung angehender Theologen. 3 Teile. Halle 1786—89, zweite, verm. u. verb. Auflage 1791 (noch 1818/19 in dritter Auflage von Niemeyer herausgegeben). — G. J. Planck (1751—1833), Einleitung in die Theologische (so!) Wissenschaften. 2 Teile. Göttingen 1794/95.

Methode des akademischen Studiums 1803, in grandiosester Architektonik vollendet worden.[1]) Zwei Momente konstituieren diese neue Wissenschaftslehre: (1). formell das Postulat einer streng methodischen Ableitung des Zyklus der Wissenschaften aus der Idee des Absoluten (bei Schelling und Schleiermacher des Identitätsprinzips und seiner Digressionen); (2). materiell die Anschauung der Wissenschaft als eines lebendigen, durch die Einheit seiner Teile in einer Idee zur Unauflöslichkeit erhobenen Organismus, und, im Zusammenhange damit, die Überwindung des mechanistischen Wissenschaftsbegriffs.

Beginnen wir mit dem zweiten Punkte, so hängt der wissenschaftliche Charakter der Theologie offenbar daran, daß es gelingt, ein Prinzip zu finden, aus dem die einzelnen Zweige derselben organisch abgeleitet werden können. Dieses Prinzip glaubt Schleiermacher gefunden zu haben in dem Motiv der Kirchenleitung, und sein Kompendium ist der Versuch, die Theologie nach diesem Prinzip als ein in sich geschlossenes Ganzes zu organisieren. Indem er die Aufgaben der Theologie aus dem Zweck der Kirchenleitung zu begreifen sucht, gewinnt er das Band, das sie innerlich umschließt, und die Basis, auf der sich die Theologie in seinem Sinne als Wissenschaft konstituieren kann. Freilich auch dann nur als Wissenschaft zweiter Ordnung, oder, wie Schleiermacher sich ausdrückt, als positive Wissenschaft.

---

[1]) Eine pünktliche Untersuchung des Schleiermacherschen Wissenschaftsbegriffs und als unentbehrlicher Voraussetzung desselben, der Wissenschaftsidee des kritischen und romantischen Idealismus überhaupt, ist eine noch ungelöste Aufgabe. — Vgl. meine Andeutungen in ‚Christentum u. Wissenschaft in Schleiermachers Glaubenslehre', Berlin 1909 S. 49 ff. u. S. 61 Anm. 1. — Ferner Eckert, Einführung S. 52 ff. (dort dasselbe Desiderat S. 57 Anm. 16), H. Süskind, Der Einfluß Schellings auf die Entwicklung von Schleiermachers System, 1909 S. 93 ff. u. E, Spranger, in der Einleitung zu ‚Fichte, Schleiermacher, Steffens über das Wesen der Universität' (Phil. Bibl. Bd. 120, Leipzig 1910) p. XIV ff.

Das führt auf den ersten Punkt zurück. Die Theologie kann trotz des Prinzips, das sie zur Wissenschaft erhebt, nicht im eigentlichen Sinne Wissenschaft sein, weil sie dem Vollbegriff der Wissenschaft nicht genügt. Dazu müßte sie, nach Schelling, dem Schleiermacher hier folgt, aus der Idee des Absoluten zu entwickeln sein, was Schleiermacher (gegen Schelling; vgl. seine Rezension der ‚Vorlesungen' Br. IV 579 ff., namentlich S. 584) für eine Unmöglichkeit hält. Denn es gibt nur zwei Manifestationen des Absoluten, die Erscheinung des rein-identischen Seins unter dem Übergewicht des Realen, als Natur, und unter dem Übergewicht des Idealen, als Vernunft und Geschichte. Demnach gibt es auch nur zwei „eigentliche" Wissenschaften: die Philosophie der Natur und die Philosophie des geistig-geschichtlichen Lebens (die ‚Ethik'), mit ihren empirischen Korrelaten, der Naturkunde und der Geschichtswissenschaft, und über beiden eine Wissenschaftslehre (Transszendentalphilosophie, Fundamentallehre, Dialektik), die die Idee des Seins und des Wissens zu entwickeln, ihr gegenseitiges Verhältnis zu bestimmen und auf dem so gewonnenen Grunde den Kosmos der Wissenschaften aufzubauen hat.

Die Ausscheidung der Theologie aus der „reinen" Sphäre des absoluten Wissens und ihre Einordnung unter die „positiven" Wissenschaften bedeutet demnach zunächst und ursprünglich, daß die Theologie nicht spekulativ begründet, noch spekulativ zu begründen ist — eine Einsicht, die Schleiermacher früh vor den wissenschaftlichen Führern seines Zeitalters vorausgehabt hat und deren energische Übertragung von der Religion (vgl. die ‚Reden') auf die Theologie innerhalb seiner eigenen Entwicklung ein Fortschritt ersten Ranges ist. Der Ausdruck ‚positive Wissenschaft' hat aber nach Schleiermachers Andeutungen auch einen positiven Sinn und bedeutet, daß die Theologie ihren Gegenstand immer schon vorfindet, daß das Prinzip, aus dem sie entspringt, etwas Gegebenes ist, und zwar, wie Schleiermacher behauptet oder doch zu behaupten scheint, etwas von außen her Gegebenes, das sich bei genauerer Betrachtung als eine praktische Aufgabe herausstellt.

Hierzu ist folgendes zu bemerken. Unanfechtbar ist der Begriff der Theologie als positiver Wissenschaft in dem Sinne, daß sie ihr Prinzip nicht hervorbringt, sondern als gegebene Größe hinnimmt. Die Einnahme dieses Standpunktes ist gleichbedeutend mit der prinzipiellen Überwindung der rationalen und spekulativen Theologie und ein epochemachender Fortschritt von allerhöchster Wichtigkeit. Daß die Theologie nicht eine Begriffs-, sondern eine Gegenstandswissenschaft ist, diese Erkenntnis ausgesprochen und wirksam in Kraft gesetzt zu haben, ist eine der Taten, durch die sich Schleiermacher in der Geschichte der Methodik ein bleibendes Denkmal gesetzt hat. Und es bedeutet in diesem Zusammenhange nicht viel, daß sich bei ihm mit dem Begriff des Positiven zugleich die Vorstellung „zweiter Ordnung" verbindet. Zwar daß es „reine" Wissenschaften gibt, und daß wir dieselben in der reinen Mathematik besitzen, mindestens in der nichteuklidischen Geometrie, die zweifellos keine praktische Abzweckung hat, sondern nur für sich selber existiert, hätte man nicht bestreiten sollen.[1]) Aber auch das ist unwidersprechlich, daß die reine Wissenschaft, an welche Schleiermacher gedacht hat, die Wissenschaft der Konstruktionen, heute gegenstandslos geworden ist, und daß im Laufe des 19. Jahrhunderts die positiven Wissenschaften mehr und mehr in ihre Posten eingerückt sind. Da endlich alle Wissenschaften aus dem Erkenntnistrieb entspringen und auf die Erforschung der Wahrheit gerichtet, also der Idee nach theoretisch sind[2]), so sind sie im Prinzip gleichwertig und bilden nur insofern ein abgestuftes System, als sich in einigen der Wissenstrieb unmittel-

---

[1]) wie Eckert es tut, Einführung S. 53; darum ist die Scheidung zwischen eigentlicher und positiver Wissenschaft doch haltbar und sogar notwendig (gegen Eckert S. 57).

[2]) gegen Eckert, der das Gegenteil behauptet (S. 53ff.).

bar objektiviert, in anderen dagegen an einer gegebenen Erscheinung entzündet. Will man nach diesem sekundären Maßstab Wissenschaften erster und zweiter Ordnung unterscheiden — und es ist kein Grund, dies nicht zu tun — so fällt die Theologie durchaus unter die Wissenschaften zweiter Ordnung, d. i. sie ist, wie schon oben bemerkt wurde, nicht Begriffs-, sondern Gegenstandswissenschaft. Und Schleiermacher bleibt im Recht.

Um so bedenklicher scheinen die übrigen Bestimmungen zu sein. Indem nämlich Schleiermacher die Theologie aus dem „konstitutiven Prinzip" der Kirchenleitung hervorgehen läßt, scheint er ein der Wissenschaft fremdes, die Reinheit der Forschung bedrohendes Motiv praktisch-äußerlicher Natur in den Mittelpunkt gerückt zu haben. Ein Motiv, das im Wortsinn konsequent entwickelt, die Theologie zu ruinieren droht, indem es sie zu einer höheren Technik erniedrigt. Eine Reihe äußerst gewagter Behauptungen, wie die, daß eine rein wissenschaftliche, d. i. philologisch-historische Beschäftigung mit dem Kanon nur gegen denselben gerichtet sein könne (§ 147) u. a. m. sind Folgen dieses Ansatzes, der bei flüchtiger Betrachtung geeignet scheint, die Theologie zu diskreditieren und Schleiermachers Leitgedanken, der theologischen Forschung und Wissenschaft ein festes, gediegenes Rückgrat zu geben, um seine besten Wirkungen zu bringen.

Ist das Schleiermachers Meinung gewesen? Die Frage aufwerfen heißt sie verneinen. Und hier stellen wir den Satz voran, daß Schleiermachers ungeheurer Idealismus in dem Begriff der Kirche, und folglich auch dem der Kirchenleitung, ideale Potenzen aufleuchten sieht, die auch die trübste Wirklichkeit, damals vielleicht noch trüber als heute, nicht auslöschen kann, und die, wo sie wirksam empfunden werden, sich zu dem kosmischen Rahmen verdichten, der alles theologische Denken umspannt. Die wahrhaft grandiose Naivetät, mit der er immer und überall die dürftigste Erscheinung der Kirche ins Ideelle hinaufgehoben hat, ist der Schlüssel zum Verständnis seiner Theologie und seines enzyklopädischen Ansatzes.

Gleichwohl bleiben Bedenken zurück, und es fragt sich, ob wir den Schleiermacherschen Ansatz nicht dennoch modifizieren müssen, um schwersten Mißverständnissen zu begegnen und Irrtümer zu verhüten, die aus dem Stichwort ‚Kirchenleitung' nach dem empirischen Sprachgebrauch fast notwendig entspringen müssen. Für Schleiermacher ist Kirchenleitung letztlich nichts anderes, als die Selbstberufung der Theologie zu charaktervoller Pflege evangelischen Geistes und evangelischer Gesinnung durch das Medium der Wissenschaft, also nichts von „Kirchenregiment". Aber die Tatsache, daß unsers Wissens noch kein Schleiermacherforscher auf diese Spur gekommen ist, scheint zu beweisen, daß das Stichwort unglücklich gewählt und durch ein besseres zu ersetzen ist.

Wissenschaft ist methodisch geschulter Wahrheitssinn, sonst nichts. Das hat Schleiermacher so gut gewußt, wie irgend ein großer Forscher neben ihm. Er hat für die unabhängige Erkenntnis, grade in der Theologie, nicht nur gelebt, sondern gekämpft und gelitten, wie die Geschichte seines Lebens in der Epoche des reaktionären Hochkirchentums beweist. Die Kirchlichkeit seiner Theologie ist immer zweifelhaft gewesen. Die Kraft und Freude seines Lebens war stets die freie, unabhängige Forschung, mit dem aufrechten Willen, der Kirche zu dienen, aber auch mit dem unbeugsamen Vertrauen darauf, daß diese Art von Kirchendienst zugleich die wahre Kirchenleitung sei. Kirchlichkeit als Maxime und Gesinnung, aber nicht als Forschungsprinzip und -methode: das ist die intellektuelle Existenzform, die er selbst im Begriff des Kirchenfürsten (§ 9) idealisiert und verewigt hat. Damit hat er sich selbst berichtigt. Und wir meistern ihn nicht, sondern bringen ihn nur mit sich selber in Einklang, wenn wir aus dem konstitutiven Prinzip (§ 81) ein teleologisches

Moment und aus dem objektiven Faktor eine subjektive Bedingung machen, die deshalb nicht minder verbindlich ist. Denn daß der Glaube an die Kirche und die Liebe zur Kirche auch auf protestantischem Boden erst den Theologen machen, daß eine Theologie ohne die Bereitschaft, der Kirche zu dienen, wäre es auch noch so indirekt, aufhört, Theologie zu sein, ist ein Axiom, das auch im Zeitalter der Religionsgeschichte nicht dauernd bestritten werden wird.

Schleiermacher hat selbst den Punkt bezeichnet, an dem wir einzusetzen haben, um seinen Ansatz zu korrigieren, ohne seine Absichten zu zerstören. Er hat durch seinen kühnen Wurf zwei Ziele auf einmal erreichen wollen, die für die Methodik noch heute gelten, (1). eine selbständige theologische Wissenschaft, (2). eine selbständige theologische Wissenschaft: das erste durch Einführung eines eigenen Prinzips, das zweite durch Aufrichtung des Zweckbegriffs der Kirchenleitung. Aus der Tendenz auf die Kirchenleitung hat er den theologischen Charakter der in der Theologie gesammelten Kenntnisse und Probleme ableiten wollen. Kirchliche Brauchbarkeit — so könnte es scheinen — ist der Prüfstein und Maßstab theologischer Wissenschaft, ist der Beziehungspunkt, der die einzelnen theologischen Disziplinen zu einem Ganzen zusammenschließt, und der darüber entscheidet, ob eine wissenschaftliche Bestrebung theologisch ist oder nicht (§ 6). Aber wenn wir genauer zusehen, so finden wir, daß Schleiermacher selbst nicht vermocht hat, diesen Gesichtspunkt streng durchzuführen. An einer ganzen Reihe von Stellen, z. B. auch in dem oben angeführten § 147, wird das Motiv der Kirchenleitung stillschweigend durch ein anderes ersetzt, nämlich durch das Interesse am Christentum. Und während z. B. in § 81 die Kirchenleitung als das konstitutive Prinzip der Theologie erscheint, bezeichnet § 84 vielmehr die immer reinere Darstellung des Wesens des Christentums als den letzten Zweck aller Theologie (vgl. § 313). Also nicht Erziehung zur Kirchenleitung, sondern zum Verständnis des Christentums das Endziel, und der methodische Erwerb dieses Verständnisses, mit allen Voraussetzungen und Folgerungen, das organisierende Prinzip und der substantielle Kern aller theologischen Forschung und Wissenschaft!

Welch eine bedeutsame Verschiebung des Standpunktes! Die Spannung beider Gedankenreihen, die nur durch entschiedene Subordination der ersten unter die zweite gelöst werden kann, die aber bei Schleiermacher ungelöst bleibt, weil er sie, wie oben gezeigt, mit idealistischer Intuition unmittelbar als Einheit anzuschauen vermochte, tritt schon im Text und der Anmerkung des ersten Paragraphen zutage. Der Text bestimmt die Theologie als eine Gegenstandswissenschaft, die den Glauben bzw. das Christentum voraussetzt und dessen methodische Durchdringung zum Objekt hat; die Anmerkung setzt sie scheinbar zu einer Technik herab, indem sie sie auf die Lösung einer spezifisch praktischen Aufgabe zurückführt. Der Begriff des Positiven hat also einen doppelten Inhalt; er bedeutet im guten Sinne den Gegebenheitscharakter der Theologie [1]): daß sie ihr Objekt nicht zu erzeugen, sondern zu erforschen, zu beschreiben, zu kritisieren und dadurch wirksam in Kraft zu setzen hat. Und er kann im schlechten Sinne den technischen Charakter der Theologie bedeuten, den wir als ein zu enges, verwirrendes, durch Schleiermacher selbst überwundenes Prinzip abzulehnen haben. Schleiermacher behauptet freilich in der Anmerkung zu § 5, daß der Glaube an und für sich eines theologischen Apparates nicht bedürfe, weder zu seiner Wirksamkeit in der einzelnen Seele, noch auch in den Verhältnissen des geselligen Familienlebens. Wohl aber, fügen wir in seinem Sinne hinzu, als Prinzip einer eigenen Gemeinschaft oder Kirche, und erinnern an § 2, der die einseitige Haltung von § 5 gleichsam im voraus über-

---

[1]) zu dem auch ihre konfessionelle Klangfarbe gehört; siehe im Register unter ‚Konfessioneller Charakter der Theologie‘.

windet, indem er das Gesetz (oder die Tatsache) konstatiert, daß jeder zu einer geistigen Macht erstarkte Glaube, d. i. doch wohl jeder Glaube, der es zu Kirche und Bekenntnis gebracht hat, die Tendenz habe, sich eine Theologie anzubilden, um sich über sich selbst zu verständigen. Die Theologie ein Postulat des nach methodischer Selbstbesinnung im weitesten Umfange strebenden Glaubens — das ist der evangelische Standpunkt, den Schleiermacher in der Praxis des Lebens und der Forschung, unbekümmert wie wenige, vertreten hat, der der Theologie ihre Selbständigkeit und zugleich ihren wissenschaftlichen Charakter sichert, indem sie nämlich die erprobten Methoden der geisteswissenschaftlichen Arbeit überhaupt furchtlos auf ihr Gebiet überträgt und dabei in ihrem Gewissen durch das Vertrauen zu einer Kirche getragen wird, die aus dem Geiste der Wahrheit geboren sein will und sich im Prinzip bereit erklärt, in jedem ernstlichen Ringen nach Wahrheit die Stimme Gottes zu vernehmen. Es kann kein Zweifel darüber sein, daß wir im Geiste Schleiermachers handeln und zugleich die entscheidenden Grundmotive seiner Theologie auf eine wirksamere Art in Kraft setzen, wenn wir den Ansatz der Enzyklopädie nach diesen Prinzipien korrigieren.

(2). Die Entdeckung der kritischen Methode, als einer Synthese von Induktion und Deduktion (vgl. §§ 21 und 32), ist nach zwei Seiten epochemachend. Sie hat zu ihrer Zeit namentlich gewirkt als Reaktion und Antithese gegen den fanatischen Apriorismus der idealistischen Systematik, die alles, auch Glaube und Christentum, spekulativ konstruieren wollte, ohne auf die Geschichte Rücksicht zu nehmen. Wir fürchten diese Richtung nicht mehr. Sie hat sich selbst das Grab gegraben. Daran ändert die Tatsache nichts, daß einzelne Fanatiker der Gegenwart sie wieder zum Leben erwecken wollen. Aber zu Schleiermachers Zeit war sie eine Macht, die wirksamste Ausprägung des Besten, was man hatte, oder doch zu haben meinte, und der Kampf gegen sie wurde mehr und mehr als Sünde wider den heiligen Geist der Wissenschaft empfunden. Daß Schleiermacher den Mut gehabt hat, diese Sünde auf sich zu nehmen und den Kampf mit der ihm eigenen zähen Energie sicher und sieghaft durchzuführen, wiewohl er selbst als Philosoph die kühnsten Spekulationen wagte, ist eine Tat, die die Theologie des 19. und — des 20. Jahrhunderts ihm nie vergessen darf, wenn sie sich auf ihre Ursprünge besinnt.

Heut droht uns eine andere Gefahr. An die Stelle der Spekulation hat sich der Empirismus geschoben und mehr und mehr zum Tyrannen entwickelt. Die Hingebung an die Geschichte hat einen Historismus erzeugt, der ebenso dogmatisch geworden ist, wie der Apriorismus der Hegelschen Schule. Wir fangen an, die Unzulänglichkeit dieses Standpunktes zu empfinden. Der Streit um das Wesen des Christentums hat deutlich genug gezeigt, daß die Historie allein nicht genügt, daß ohne charaktervolle Prinzipien, die zwar an der Geschichte entwickelt sind, aber nicht aus der Geschichte stammen, eine wirksame, probehaltige, überzeugende Theologie unmöglich ist. Schleiermacher hat es vorausgesagt und prinzipiell den Weg beschritten, an dem die theologische Wissenschaft der Zukunft hängt, den kritischen Weg, den Kant als die Synthese des Empirischen und des Rationalen, und Goethe als die Verbindung des Historischen mit dem Produktiven bezeichnet hat. Die Tatsache, daß Schleiermacher oft genug (z. B. im Leben Jesu) mehr konstruiert, als wir heute zulässig finden, erklärt sich genugsam aus der Lage des Zeitalters, aus dem Mangel an gediegenem historischen Wissen und der damit zusammenhängenden tastenden Unsicherheit der historischen Methode. Jedenfalls kann sie die epochemachende Entdeckung Schleiermachers nicht auslöschen und uns nicht von dem Urteil entbinden, daß er im Prinzip das Richtige gesehen und durch die Einführung der kritischen Methode die Einseitigkeiten der Spekulation und des Empirismus grundsätzlich überwunden hat.[1])

[1]) Auch darin wird Schleiermacher recht behalten, daß die Ausübung

(3). Die Einordnung der Theologie in das System der Geistes- oder Kulturwissenschaften ist unter den Schleiermacherschen Neuerungen der am meisten individuell bedingte und darum am häufigsten mißverstandene und angegriffene Punkt seines theologischen Programms. Sie fällt mit der Anknüpfung der Theologie an die Ethik zusammen, die bekanntlich im Sinne Schleiermachers ein Doppeltes ist, spekulative Theorie der Kultur und Grundlegung der Kulturwissenschaften, die, wie Ästhetik, Politik und Religionsphilosophie (§ 23 Anm.)[1], unmittelbar aus ihr entspringen und so den Übergang vermitteln von der Wissenschaft erster zur Wissenschaft zweiter Ordnung.

Wir haben schon oben (S. XIVf.) gesehen, wie wenig der erste Kritiker der Enzyklopädie die synthetischen Bestrebungen Schleiermachers gebilligt, oder, um es gleich richtiger zu sagen, wie wenig er sie verstanden hat. Andere sind darin nicht glücklicher gewesen. So tadelt es Rosenkranz in seiner Kritik der Schleiermacherschen Glaubenslehre 1836 aufs schärfste, daß Schleiermacher die Grundlegung seiner Dogmatik in Lehnsätzen aus der Ethik, Religionsphilosophie und Apologetik gegeben habe. Es sei ein unwissenschaftliches Verfahren, eine selbständige Wissenschaft, wie die Theologie sie nach Schleiermacher doch sei, durch Lehnsätze aus fremden

---

dieser Methode in jedem einzelnen Falle eine Kunst ist, ein Talent, das den Denker und Forscher macht (siehe im Register unter ‚Kunst', ferner Dialektik §§ 17ff., dazu Halperns Ausgabe S. 49ff.) — Eine genaue Untersuchung über die Beziehungen zwischen Kunst u. Wissenschaft bei Schleiermacher und den Romantikern würde ebenfalls zu den Aufgaben der oben als Desiderat bezeichneten Analyse des Schleiermacherschen Wissenschaftsbegriffs gehören.

[1]) Die beiden ersten hat Schleiermacher selbst bearbeitet (WW III 7 u. 8), die dritte nur angedeutet, in den berühmten §§ 7—10 der Glaubenslehre. — Als vierte koordinierte Wissenschaft müßte, den vier großen Kultursphären entsprechend, eigentlich noch die Soziologie hinzukommen. Schleiermacher hat sie nicht genannt, (1). weil der Name damals noch nicht geprägt war, (2). weil seine Ethik selbst als eine (spekulative) Soziologie verstanden werden kann.

Disziplinen, die nicht einmal absolut gewiß, sondern nur hypothetisch giltig sein sollen, festzustellen und einzuleiten (S. 20). Ein Urteil, das von der Mehrzahl der Forscher im wesentlichen noch heute unterschrieben wird. Mindestens hält man Schleiermachers Verfahren für ein gewagtes, unfruchtbares und darum überflüssiges Experiment.

Was wollte Schleiermacher mit jenen Anknüpfungen? Warum legt er so großes Gewicht darauf, die Theologie teils unmittelbar (§§ 22 und 29 der Enzyklopädie; vgl. §§ 3—6 der Glaubenslehre), teils durch das Medium der Religionsphilosophie (Enzykl. § 23, Gl. §§ 7—10) mit der Ethik zu verbinden? Die Antwort liegt in drei Momenten: einer methodischen, einer sachlichen und einer persönlichsten Erwägung.

Die methodische Wurzel des Schleiermacherschen Verfahrens liegt in seiner Wissenschaftslehre. Schleiermacher hält streng darauf, daß jede Einzelwissenschaft, gleichviel, ob erster oder zweiter Ordnung, ehe sie in die Materie eindringt, sich erst formell durch pünktliche Eintragung in die Wissenschaftsskala und durch Feststellung ihrer Beziehungen zu den nächst höheren Disziplinen, und, durch sie, zum höchsten Wissen, gleichsam als Wissenschaft legitimiert. Das ist nicht spielerischer Eigensinn, sondern unmittelbare Folge des neuen Wissenschaftsbegriffs, den wir oben beschrieben haben, und der, wie er die Einzelwissenschaft als einen Organismus setzt, in dem jeder Teil den anderen beseelt, wie er selbst von ihm beseelt wird, so auch das Gefüge der Wissenschaften als die lebendige Verzweigung eines gemeinsamen Grundstockes anschaut, der die Idee des Wissens selber ist. Wir werden diese Anschauung, in dem Umfange, in welchem sie Schleiermacher bewegt hat, heute nicht mehr teilen können. Aber daß sie etwas kräftig-Lebendiges hat, zu logischer Pünktlichkeit erzieht, und ein mächtiger Damm ist gegen die fortschreitende gegenseitige Entfremdung der Fachwissenschaften, wie wir sie täglich um uns erleben, wird niemand leugnen können.

Das zweite Motiv ist sachlicher Art. Es wendet sich, im echtesten Geist der idealistischen Denkart und Gesinnung, gegen den Empirismus des Zufalls. Es kann nicht sein, daß geistige Güter erster Ordnung aus Zufallsursachen entsprungen sind. Es muß gelingen, eine Erscheinung, wie das Urphänomen des Frommseins und seine Objektivierung in einer Kirche, aus dem Geiste der Intelligenz zu begreifen, es gleichsam auf den Quellgrund alles höheren Seins, die Berührung der Natur mit der Vernunft, zurückzuleiten. Mit anderen Worten: die Tatsache der Religion und ihrer stetigen Erscheinung unter der Form einer Kirche muß sich als ein organisches Stück des allgemeinen Ethisierungsprozesses begreifen lassen, der durch das Handeln der Vernunft auf die Natur wirksam eingeleitet ist. Und ebenso muß das Christentum, unbeschadet seiner Originalität, mit dem religiösen Phänomen an sich irgendwie zusammenhängen; ist doch das ganze Universum des Geistes ein einziger großer Entwicklungsprozeß. So entsteht der Theologie die Aufgabe, die Knotenpunkte aufzuzeigen, an denen das Christentum mit der Religion und diese wieder mit dem „allgemeinen Lebensquell", der Brunnenstube der Intelligenz, zusammenhängt. Und es ergibt sich, in genauer Parallele zu dem genealogischen Wissenschaftsbilde, eine genealogische Gegenstandsbetrachtung, die sich bis zu den Wurzeln des Geistigen erstreckt und erst unmittelbar vor den Toren des ewig Unerforschlichen innezuhalten gesonnen ist. Auch dies offenbar ein grandioser Gedanke, der keineswegs blind phantastisch ist, sondern als letztes Ideal auch einem minder kühnen und anspruchsvollen Denken immer wieder wichtig werden wird.

Endlich das individuellste Moment. Schleiermachers Theologie ist die reife und gediegene Frucht einer synoptischen Weltansicht. Er glaubte an die Einheit der geistigen Welt mit einer Kraft und Freudigkeit, er erlebte sie in sich in der Fülle der Motive, die seinen reichen Geist bewegten, mit einem Elementargefühl, das sich nicht oft wiederholen wird.

Er sah Religion und Christentum, die er mit hochbegabtem Auge, wie wenige vor ihm, in ihrer körnigen Eigenart geschaut hat, doch immer zugleich in innigster Berührung mit den bewegenden Mächten des Geistes überhaupt, und so wurde es die Losung seiner Theologie, wie er es selbst in dem vorliegenden Entwurf mit klassischen Worten ausgesprochen hat: Religion und Christentum „im Zusammenhange mit den übrigen Tätigkeiten des menschlichen Geistes zu verstehen“ (§ 21). Dies ist der tiefste und letzte Grund der scheinbar so zwecklosen und ermüdenden Zurüstungen, durch die sich Schleiermacher, in der Enzyklopädie und in der Einleitung der Glaubenslehre, den Weg zu seinem Objekt gebahnt hat. Er wollte, was er innerlich schaute und als das Mark seines Lebens empfand, auch in der begrifflichen Darstellung ausprägen, er wollte das große Problem der Synthesen nicht, wie die meisten vor ihm und nach ihm, der Virtuosität des Subjekts überlassen, sondern an dem Objekte selbst wirksam und mit überzeugender Besonnenheit einer probehaltigen Lösung entgegenführen. Die ganze Schleiermachersche Theologie ist schließlich nichts anderes, als der begriffliche Ausdruck dieses Lebensgefühls. Wer ihn von hier aus nicht begreift, wird ihn niemals ganz verstehen. Aber er hat dann auch kein Recht, sich über ihn hinauszusetzen und ihn zu den Überwundenen zu zählen.

Wir schließen diese Einleitung mit einer summarischen Übersicht über den Gedankengang des Werkes, indem wir die einzelnen Paragraphengruppen nach Stichworten zusammenordnen. Eingehende Analysen findet man bei W. Bender, Schleiermachers Theologie II 1878 S. 299 ff. und bei A. Eckert, Einführung usw. S. 13 ff. — Wegen des gediegenen historischen Horizontes ist auch das kürzere Referat bei W. Gaß, Geschichte der prot. Theologie IV 1867 S. 533 ff. immer noch lehrreich und lesenswert.

Kurze Darstellung des theologischen Studiums

zum Behuf einleitender Vorlesungen.

Vorerinnerung
zur ersten Ausgabe.

Es ist mir immer ungemein schwierig erschienen, nach Anleitung eines fremden Handbuchs akademische Vorträge zu halten; denn jede abweichende Ansicht scheint zugleich eine Abweichung zu fordern von einer aus einem andern Gesichtspunkt entstandenen Ordnung. Freilich wird es um desto leichter, je mehr die eigentümlichen Ansichten der einzelnen über einzelnes einer gemeinschaftlichen über das Ganze untergeordnet sind, das heißt, je mehr das besteht, was man eine Schule nennt. Allein wie wenig dies jetzt in der Theologie der Fall ist, weiß jedermann. Aus demselben Grunde also, der es mir zum Bedürfnis macht, wenn ein Leitfaden gebraucht werden soll, was doch in mancher Hinsicht nützlich ist, einen eigenen zu entwerfen, bin ich unfähig, den Anspruch zu machen, daß andere Lehrer sich des meinigen bedienen mögen. Scheint es mir daher zu viel, was nur für meine jetzigen und künftigen Zuhörer bestimmt ist, durch den Druck in das große Publikum zu bringen: so tröste ich mich damit, daß diese wenigen Bogen meine ganze dermalige Ansicht des theologischen Studiums enthalten, welche, wie sie auch beschaffen sei, doch vielleicht schon durch ihre Abweichung anregend wirken und Besseres erzeugen kann.

Andere pflegen in Enzyklopädien auch einen kurzen Auszug der einzelnen dargestellten Disziplinen selbst zu geben; mir schien es angemessener, denen zu folgen, welche in solchen

Vorträgen lieber alle Aufmerksamkeit auf dem Formalen festhalten, damit die Bedeutung der einzelnen Teile und ihr Zusammenhang desto besser aufgefaßt werde.

Berlin, im Dezember 1810.

D. F. Schleiermacher.

Vorerinnerung
zur zweiten Ausgabe.

Nach beinahe zwanzig Jahren, die seit der ersten Erscheinung dieses Büchleins vergangen sind, war es wohl natürlich, daß ich im einzelnen vieles zu verändern fand; wiewohl Ansicht und Behandlungsweise im ganzen durchaus dieselben geblieben sind. Was ich in Ausdruck und Stellung geändert habe, ist hoffentlich auch gebessert. Wie ich denn auch wünsche, daß die kurzen, den Hauptsätzen beigefügten Andeutungen ihren Zweck, dem Leser eine Erleichterung zu gewähren, nicht verfehlen mögen.

Daß in der ersten Ausgabe jeder Abschnitt seine Paragraphen besonders zählte, verursachte viel Weitläuftigkeit beim Citieren, und ist deshalb geändert worden.

Berlin, im Oktober 1830.

D. F. Schleiermacher.

Gliederung

Einleitung

I. Philosophische Theologie.[1]

Einleitung.

A. Grundsätze der Apologetik.

B. Grundsätze der Polemik

II. Historische Theologie.

Einleitung.

---

[1]) Der Ausdruck ist „offenbar deshalb gewählt, weil es sich um Bearbeitung von Begriffen handelt, ein Geschäft, das von anderen Philosophen als Philosophie schlechthin bezeichnet wird." (Eckert, Einführung S. 80.)

---

[1]) Vgl. Schleiermachers Einleitung ins Neue Testament (WW I 8).

[2]) Vgl. Schleiermachers Hermeneutik (WW I 7).

[3]) Vgl. die Einleitung in das Studium der Kirchengeschichte 1806 WW I 11 S. 623ff.

[4]) Vgl. Glaubenslehre § 19.

[5]) Glaubenslehre § 25.

[6]) Glaubenslehre § 17.

[7]) Glaubenslehre § 26 — Christliche Sitte S. 12ff.

III. Praktische Theologie.[1])

§§ 257–266 Die Grundprobleme der praktischen Theologie.
§§ 267–276 Disposition der praktischen Theologie.

A. Kirchendienst.

§§ 277–279 Gliederung des Kirchendienstes.
§§ 280–289 Die erbauende Tätigkeit.
§§ 290–306 Die leitende Tätigkeit.
 §§ 291–302 Seelsorge.
 §§ 303–306 Organisation des Gemeindelebens.
§§ 307–308 Epilog.

B. Kirchenregiment.

§§ 309–314 Prolegomena.
§§ 315–327 Die kirchliche Autorität.
 §§ 315–317 Kirchendienst.
 §§ 318–327 Kirchengesetzgebung.
§§ 328–334 Die freie Geistesmacht.
 §§ 328–329 Einleitung.
 §§ 330–331 Der akademische Lehrer.
 §§ 332–334 Der theologische Schriftsteller.
§§ 335–338 Schlußbetrachtungen zur praktischen Theologie.

[1]) Vgl. Schleiermachers Praktische Theologie (WW I 13).

Einleitung.

§ 1. Die Theologie in dem Sinne, in welchem das Wort hier immer genommen wird, ist eine positive Wissenschaft, deren Teile zu einem Ganzen nur verbunden sind durch ihre gemeinsame Beziehung auf eine bestimmte Glaubensweise, d. h. eine bestimmte Gestaltung des Gottesbewußtseins; die der christlichen also durch die Beziehung auf das Christentum.[1])

Eine positive Wissenschaft überhaupt ist nämlich ein solcher Inbegriff wissenschaftlicher Elemente, welche ihre Zusammengehörigkeit nicht haben, als ob sie einen vermöge der Idee der Wissenschaft notwendigen Bestandteil der wissenschaftlichen Organisation bildeten, sondern nur, sofern sie zur Lösung einer praktischen Aufgabe erforderlich sind. — Wenn man aber ehedem eine rationale Theologie in der wissenschaftlichen Organisation mit aufgeführt hat: so bezieht sich zwar diese auch auf den Gott unseres Gottesbewußtseins, ist aber als spekulative Wissenschaft von unserer Theologie gänzlich verschieden.

§ 2. Jeder bestimmten Glaubensweise wird sich in dem Maß, als sie sich mehr durch Vorstellungen, als durch symbolische Handlungen mitteilt, und als sie zugleich geschichtliche Bedeutung und Selbständigkeit gewinnt, eine Theologie anbilden, die aber für jede Glaubensweise, weil mit der Eigentümlichkeit derselben zusammenhängend, sowohl der Form als dem Inhalt nach, eine andere sein kann.[2])

---

[1]) S. 1. § 1. Die Theologie ist eine positive Wissenschaft, deren verschiedene Teile zu einem Ganzen nur verbunden sind durch die gemeinsame Beziehung auf eine bestimmte Religion: die der christlichen also auf das Christentum.

[2]) § 2. Jeder bestimmten Religion wird sich, in dem Maß, als sie geschichtliche Bedeutung und Selbständigkeit erhält, das heißt sich zur Kirche gestaltet, eine Theologie anbilden, deren Organisation nur aus der Eigentümlichkeit jener zu verstehen, und also für jede eine andere ist.

Nur in dem Maße, weil in einer Gemeinschaft von geringem Umfang kein Bedürfnis einer eigentlichen Theologie entsteht, und weil bei einem Übergewicht symbolischer Handlungen die rituale Technik, welche die Deutung derselben enthält, nicht leicht den Namen einer Wissenschaft verdient.

§ 3. Die Theologie eignet nicht allen, welche und sofern sie zu einer bestimmten Kirche gehören, sondern nur dann und sofern sie an der Kirchenleitung teilhaben; so daß der Gegensatz zwischen solchen und der Masse und das Hervortreten der Theologie sich gegenseitig bedingen.[1])

Der Ausdruck Kirchenleitung ist hier im weitesten Sinne zu nehmen, ohne daß an irgendeine bestimmte Form zu denken wäre.

§ 4. Je mehr sich die Kirche fortschreitend entwickelt, und über je mehr Sprach- und Bildungsgebiete sie sich verbreitet, um desto vielteiliger organisiert sich auch die Theologie; weshalb denn die christliche die ausgebildetste ist.[2])

Denn je mehr beides der Fall ist, um desto mehr Differenzen, sowohl der Vorstellung, als der Lebensweise, hat die Theologie zusammenzufassen, und auf desto mannigfaltigeres Geschichtliche zurückzugehen.

§ 5. Die christliche Theologie ist sonach der Inbegriff derjenigen wissenschaftlichen Kenntnisse und Kunstregeln, ohne deren Besitz und Gebrauch eine zusammenstimmende Leitung der christlichen Kirche, d. h. ein christliches Kirchenregiment, nicht möglich ist.[3])

Dieses nämlich ist die in § 1 aufgestellte Beziehung; denn der christliche Glaube an und für sich bedarf eines solchen Apparates nicht, weder zu

---

[1]) S. 1. § 3. Die Theologie eignet nicht allen, welche und sofern sie zur Kirche gehören, sondern nur, welchen und sofern sie die Kirche leiten. Der Gegensatz zwischen solchen und der Masse und das Hervortreten der Theologie bedingen sich gegenseitig.

[2]) S. 2. § 4. Je mehr die Kirche sich fortschreitend entwickelt, und durch je mehr Sprach- und Bildungsgebiete sie sich verbreitet, um desto vielteiliger und zusammengesetzter organisiert sich auch die Theologie. Daher ist die christliche auch die gebildetste.

[3]) § 5. Die christliche Theologie ist der Inbegriff derjenigen wissenschaftlichen Kenntnisse und Kunstregeln, ohne deren Anwendung ein christliches Kirchenregiment nicht möglich ist.

seiner Wirksamkeit in der einzelnen Seele, noch auch in den Verhältnissen des geselligen Familienlebens.

§ 6. Dieselben Kenntnisse, wenn sie ohne Beziehung auf das Kirchenregiment erworben und besessen werden, hören auf, theologische zu sein, und fallen jede der Wissenschaft anheim, der sie ihrem Inhalte nach angehören.[1])

Diese Wissenschaften sind dann der Natur der Sache nach die Sprachkunde und Geschichtskunde, die Seelenlehre und Sittenlehre, nebst den von dieser ausgehenden Disziplinen der allgemeinen Kunstlehre und der Religionsphilosophie.

§ 7. Vermöge dieser Beziehung verhält sich die Mannigfaltigkeit der Kenntnisse zu dem Willen, bei der Leitung der Kirche wirksam zu sein, wie der Leib zur Seele.[2])

Ohne diesen Willen geht die Einheit der Theologie verloren, und ihre Teile zerfallen in die verschiedenen Elemente.

§ 8. Wie aber nur durch das Interesse am Christentum jene verschiedenartigen Kenntnisse zu einem solchen Ganzen verknüpft werden: so kann auch das Interesse am Christentum nur durch Aneignung jener Kenntnisse sich in einer zweckmäßigen Tätigkeit äußern.[3])

Eine Kirchenleitung kann zufolge § 2 nur von einem sehr entwickelten geschichtlichen Bewußtsein ausgehen, aber auch nur durch ein klares Wissen um die Verhältnisse der religiösen Zustände zu allen übrigen recht gedeihlich werden.

§ 9. Denkt man sich religiöses Interesse und wissenschaftlichen Geist im höchsten Grade und im möglichsten

---

[1]) S. 2. § 6. Dieselben Kenntnisse, ohne diese Beziehung, hören auf, theologische zu sein, und fallen jede einer andern Wissenschaft anheim.

[2]) § 7. Die Mannigfaltigkeit der Kenntnisse ist der Leib, der Trieb, zum Wohl der Kirche gesetzmäßig wirksam zu sein, ist die Seele.

[3]) § 8. Wie jene Kenntnisse nur durch das Interesse am Christentum zu dem Ganzen verknüpft werden, welches die Theologie bildet: so kann auch nur durch die Aneignung jener wissenschaftlichen Kenntnisse das Interesse am Christentum zu der zweckmäßigen Tätigkeit gedeihen, durch welche die Kirche wirklich erhalten und weiter gebildet wird.

Gleichgewicht für Theorie und Ausübung vereint: so ist dies die Idee eines Kirchenfürsten.[1])

Diese Benennung für das theologische Ideal ist freilich nur angemessen, wenn die Ungleichheit unter den Mitgliedern der Kirche groß ist, und zugleich ein Einfluß auf eine große Region der Kirche möglich. Sie scheint aber passender, als der schon für einen besonderen Kreis gestempelte Ausdruck Kirchenvater, und schließt übrigens nicht im mindesten die Erinnerung an ein amtliches Verhältnis in sich.

§ 10. Denkt man sich das Gleichgewicht aufgehoben: so ist derjenige, welcher mehr das Wissen um das Christentum in sich ausgebildet hat, ein Theologe im engeren Sinn; derjenige hingegen, welcher mehr die Tätigkeit für das Kirchenregiment in sich ausbildet, ein Kleriker.[2])

Diese natürliche Sonderung tritt bald mehr, bald weniger äußerlich hervor; je mehr aber, um desto weniger kann die Kirche ohne eine lebendige Wechselwirkung zwischen beiden bestehen. — Übrigens wird im weiteren Verfolg der Ausdruck Theologe in der Regel in dem weiteren, beide Richtungen umfassenden Sinne genommen.

§ 11. Jedes Handeln mit theologischen Kenntnissen als solchen, von welcher Art es auch sei, gehört immer in das Gebiet der Kirchenleitung; und wie auch über die Tätigkeit in der Kirchenleitung, sei es mehr konstruierend oder mehr regelgebend, gedacht werde, so gehört dieses Denken immer in das Gebiet des Theologen im engeren Sinn.[3])

Auch die wissenschaftliche Wirksamkeit des Theologen muß auf die Förderung des Wohles der Kirche abzwecken, und ist also klerikalisch; und alle technischen Vorschriften auch über die eigentlich klerika-

---

[1]) S. 3. § 9. Beides, religiöses Interesse und wissenschaftlicher Geist, im höchsten Grade und im möglichsten Gleichgewicht zur Theorie und Ausübung vereint, ist die Idee eines Kirchenfürsten.

[2]) § 10. Insofern jemand in Beziehung auf das Christentum mehr das Wissen in sich ausbildet, ist er ein Theologe, insofern er mehr in der unmittelbaren Ausbildung des Kirchenregimentes begriffen ist, ist er ein Kleriker.

[3]) § 11. Jedes reale Handeln mit den so geleiteten wissenschaftlichen Kenntnissen gehört zum Kirchenregiment, und jede Kenntnis der Regeln und Bedingungen auch der unmittelbarsten Ausübung gehört zur Theologie.

lischen Tätigkeiten gehören in den Kreis der theologischen Wissenschaften.

§ 12. Wenn demzufolge alle wahren Theologen auch an der Kirchenleitung teilnehmen, und alle, die in dem Kirchenregiment wirksam sind, auch in der Theologie leben: so muß ungeachtet der einseitigen Richtung beider doch beides, kirchliches Interesse und wissenschaftlicher Geist, in jedem vereint sein.[1])

Denn wie im entgegengesetzten Falle der Gelehrte kein Theologe mehr wäre, sondern nur theologische Elemente in dem Geist ihrer besonderen Wissenschaft bearbeitete: so wäre auch die Tätigkeit des Klerikers keine kunstgerechte oder auch nur besonnene Leitung, sondern lediglich eine verworrene Einwirkung.

§ 13. Jeder, der sich zur leitenden Tätigkeit in der Kirche berufen findet, bestimmt sich seine Wirkungsart nach Maßgabe, wie eines von jenen beiden Elementen in ihm überwiegt.[2])

Ohne einen solchen inneren Beruf ist niemand in Wahrheit weder Theologe noch Kleriker; aber keine von beiden Wirkungsarten hängt irgend davon ab, daß das Kirchenregiment die Basis eines besonderen bürgerlichen Standes ist.[3])

§ 14. Niemand kann die theologischen Kenntnisse in ihrem ganzen Umfange vollständig innehaben, teils weil jede Disziplin im einzelnen ins Unendliche entwickelt werden kann, teils weil die Verschiedenheit der Disziplinen eine Mannig-

---

[1]) S. 3. § 12. Wenn also nur diejenigen im eigentlichen Sinne Theologen sind, welche auf irgendeine Weise auch das Kirchenregiment ausüben, und nur diejenigen das Kirchenregiment ausüben können, welche wahrhaft Theologen sind: so muß bei der einseitigen Richtung dennoch beides, religiöses Interesse und wissenschaftlicher Geist, in jedem vereinigt sein.

[2]) S. 4. § 13. Welches von beiden in ihm überwiegt, darnach hat jeder, der sich zur leitenden Tätigkeit in der Kirche berufen fühlt, seine Wirkungsart zu bestimmen.

[3]) § 14. Diese sowohl, als noch viel mehr die Theologie selbst ist keineswegs davon abhängig, daß das Kirchenregiment die Basis eines besondern bürgerlichen Standes ist.

faltigkeit von Talenten erfordert, welche einer nicht leicht in gleichem Grade besitzt.[1])

Jene Entwicklungsfähigkeit zur unendlichen Vereinzelung gilt sowohl von allem, was geschichtlich ist und mit Geschichtlichem zusammenhängt, als auch von allen Kunstregeln in Bezug auf die Mannigfaltigkeit der Fälle, welche vorkommen können.

§ 15. Wollte sich jedoch deshalb jeder gänzlich auf Einen Teil der Theologie beschränken: so wäre das Ganze weder in einem, noch in allen zusammen.[2])

Letzteres nicht, weil bei einer solchen Art von Verteilung kein Zusammenwirken der einzelnen von verschiedenen Fächern, ja streng genommen auch nicht einmal eine Mitteilung unter ihnen stattfinden könnte.

§ 16. Daher ist, die Grundzüge aller theologischen Disziplinen inne zu haben, die Bedingung, unter welcher auch nur eine einzelne derselben in theologischem Sinn und Geist kann behandelt werden.

Denn nur so, wenn jeder neben seiner besonderen Disziplin auch das Ganze auf allgemeine Weise umfaßt, kann Mitteilung zwischen allen und jedem stattfinden, und nur so jeder vermittelst seiner Hauptdisziplin eine Wirksamkeit auf das Ganze ausüben.[3])

§ 17. Ob jemand eine einzelne Disziplin, und was für eine, zur Vollkommenheit zu bringen strebt, das wird bestimmt vornehmlich durch die Eigentümlichkeit seines Talentes, zum Teil aber auch durch seine Vorstellung von dem dermaligen Bedürfnis der Kirche.[4])

---

[1]) S. 4. § 15. Niemand kann die ganze Aufgabe der Theologie vollständig lösen, teils wegen der Unendlichkeit der darunter befaßten Kenntnisse, teils weil die Verschiedenheit der Disziplinen auch eine Mannigfaltigkeit von Talenten erfordert, die nicht in gleichem Grade vereint sein können.

[2]) § 16. Wollte jeder sich gänzlich auf Einen Teil beschränken: so wäre das Ganze weder in einem, noch auch, weil kein lebendiges Zusammenwirken stattfände, in allen zusammen.

[3]) S. 5. § 17. Jeder kann sich, um es zur Vollkommenheit darin zu bringen, nur Einen Teil der Theologie zunächst widmen, muß aber, um vermittelst dieses auf das Ganze zu wirken, auch das Ganze in allgemeinem Sinn auffassen.

[4]) § 18. Was jeder von allen Teilen der Theologie inne haben muß,

Der glückliche Fortgang der Theologie überhaupt hängt großenteils davon ab, daß sich zu jeder Zeit ausgezeichnete Talente für dasjenige finden, dessen Fortbildung am meisten not tut. Immer aber können diejenigen am vielseitigsten wirksam sein, welche die meisten Disziplinen in einer gewissen Gleichmäßigkeit umfassen, ohne in einer einzelnen eine besondere Virtuosität anzustreben; wogegen diejenigen, die sich nur einem Teile widmen, am meisten als Gelehrte leisten können.[1])

§ 18. Unerlaßlich ist daher jedem Theologen zuerst eine richtige Anschauung von dem Zusammenhang der verschiedenen Teile der Theologie unter sich, und dem eigentümlichen Wert eines jeden für den gemeinsamen Zweck. Demnächst Kenntnis von der innern Organisation jeder Disziplin und denjenigen Hauptstücken derselben, welche das Wesentlichste sind für den ganzen Zusammenhang. Ferner Bekanntschaft mit den Hilfsmitteln, um sich jede jedesmal erforderliche Kenntnis sofort zu verschaffen. Endlich Übung und Sicherheit in der Anwendung der notwendigen Vorsichtsmaßregeln, um dasjenige aufs beste und richtigste zu benutzen, was andere geleistet haben.[2])

Die beiden ersten Punkte werden häufig unter dem Titel theologische Enzyklopädie verbunden, auch wohl noch der dritte, nämlich die theologische Bücherkunde, in dieselbe Pragmatie hineingezogen. Der vierte ist ein Teil der kritischen Kunst, welcher nicht als Disziplin ausge-

---

ist das Allgemeine, nach der Einheit des Zwecks hin Liegende; was jeder nur von Einem Teil erwerben kann, ist das besondere, an die Eigentümlichkeit des Talents und des Gegenstandes Gebundene.

[1]) S. 5. § 19. Je mehr jemand praktisch sein will, um desto universeller muß er auch sein als Theologe; je mehr als Gelehrter leisten, um desto mehr immer nur mit Einem Teile sich beschäftigen.

[2]) § 20. Jenes Allgemeine (18) ist 1. richtige Anschauung von dem Zusammenhange der verschiedenen Teile der Theologie unter sich und mit dem Zweck, 2. Wissenschaft von demjenigen in jedem, was am meisten mit den übrigen und dem Zweck zusammenhängt, 3. Bekanntschaft mit den Mitteln, um sich jede nötige Kenntnis sofort zu verschaffen, 4. und mit den nötigen Vorsichtsmaßregeln, um das, was andere geleistet haben, zu benutzen. Das Besondere ist die Vollständigkeit in den einzelnen Disziplinen, und das Ziel derselben die Reinigung und Erweiterung des ihnen schon Geleisteten.

arbeitet ist, und über welchen sich überhaupt nur wenige Regeln mitteilen lassen, so daß er fast nur durch natürliche Anlage und Übung erworben werden kann.

§ 19. Jeder, der sich eine einzelne Disziplin in ihrer Vollständigkeit aneignen will, muß sich die Reinigung und Ergänzung dessen, was in ihr schon geleistet ist, zum Ziel setzen.

Ohne ein solches Bestreben wäre er auch bei der vollständigsten Kenntnis doch nur ein Träger der Überlieferung, welches die am meisten untergeordnete und am wenigsten bedeutende Tätigkeit ist.

§ 20. Die enzyklopädische Darstellung, welche hier gegeben werden soll, bezieht sich nur auf das erste von den oben (§ 18) nachgewiesenen allgemeinen Erfordernissen; nur daß sie zugleich die einzelnen Disziplinen auf dieselbe Weise behandelt, wie das Ganze.[1])

Eine solche Darstellung pflegt man eine formale Enzyklopädie zu nennen; wogegen diejenigen, welche materielle genannt werden, mehr von dem Hauptinhalt der einzelnen Disziplinen einen kurzen Abriß geben, mit der Darstellung ihrer Organisation aber es weniger genau nehmen. — Insofern die Enzyklopädie ihrer Natur nach die erste Einleitung in das theologische Studium ist, gehört allerdings dazu auch die Technik der Ordnung, nach welcher bei diesem Studium zu verfahren ist, oder was man gewöhnlich Methodologie nennt. Allein was sich hievon nicht von selbst aus der Darstellung des inneren Zusammenhanges ergibt, das ist bei dem Zustand unserer Lehranstalten sowohl, als unserer Literatur, zu sehr von Zufälligkeiten abhängig, als daß es lohnen könnte, auch nur einen besonderen Teil unserer Disziplin daraus zu bilden.

§ 21. Es gibt kein Wissen um das Christentum, wenn man, anstatt sowohl das Wesen desselben in seinem Gegensatz gegen andere Glaubensweisen und Kirchen, als auch das Wesen der Frömmigkeit und der frommen Gemeinschaften im Zusammenhang mit den übrigen Tätigkeiten des menschlichen

---

[1]) S. 6. § 21. Die enzyklopädische Darstellung hat es mit der Anschauung des Wesens und Zusammenhanges der verschiedenen Teile zu tun, ohne sich mit dem Materiellen selbst zu befassen.

Geistes zu verstehen, sich nur mit einer empirischen Auffassung begnügt.[1])

Daß das Wesen des Christentums mit einer Geschichte zusammenhängt, bestimmt nur die Art dieses Verstehens näher, kann aber der Aufgabe selbst keinen Eintrag tun.

§ 22. Wenn fromme Gemeinschaften nicht als Verirrungen angesehen werden sollen: so muß das Bestehen solcher Vereine als ein für die Entwicklung des menschlichen Geistes notwendiges Element nachgewiesen werden können.[2])

Das erste ist noch neuerlich in den Betrachtungen über das Wesen des Protestantismus geschehen. Die Frömmigkeit selbst ebenso ansehen ist der eigentliche Atheismus.

§ 23. Die weitere Entwicklung des Begriffs frommer Gemeinschaften muß auch ergeben, auf welche Weise und in welchem Maß die eine von der andern verschieden sein kann, imgleichen, wie sich auf diese Differenzen das Eigentümliche der geschichtlich gegebenen Glaubensgenossenschaften bezieht. Und hiezu ist der Ort in der Religionsphilosophie.[3])

Der letztere Name, in diesem freilich noch nicht ganz gewöhnlichen Sinne gebraucht, bezeichnet eine Disziplin, welche sich in Bezug auf die Idee der Kirche zur Ethik ebenso verhält, wie eine andere, die sich auf die Idee des Staates, und noch eine andere, die sich auf die Idee der Kunst bezieht.

§ 24. Alles, was dazu gehört, um von diesen Grundlagen aus sowohl das Wesen des Christentums, wodurch es eine eigentümliche Glaubensweise ist, zur Darstellung zu bringen, als auch die Form der christlichen Gemeinschaft

---

[1]) S. 6. § 22. Weder das Wesen des Christentums oder einer bestimmten Kirche überhaupt, woraus im Gegensatz gegen das Zufällige allein (2) die Organisation der Theologie zu verstehen ist, noch das Wesen der Kirche im allgemeinen kann bloß empirisch aufgefaßt werden.

[2]) § 23. Soll es überhaupt Kirchen geben: so muß die Stiftung und das Bestehen solcher Vereine als ein notwendiges Element in der Entwicklung des Menschen können in der Ethik nachgewiesen werden.

[3]) S. 7. § 24. Die lebendige Darstellung dieser Idee muß auch das Gebiet des Veränderlichen darin nachweisen, welches die Keime alles Individuellen enthält.

und zugleich die Art, wie beides sich wieder teilt und differentiiert, dieses alles zusammen bildet den Teil der christlichen Theologie, welchen wir die philosophische Theologie nennen.[1])

Die Benennung rechtfertigt sich teils aus dem Zusammenhang der Aufgabe mit der Ethik, teils aus der Beschaffenheit ihres Inhaltes, indem sie es großenteils mit Begriffsbestimmungen zu tun hat. Eine solche Disziplin ist aber als Einheit noch nicht aufgestellt oder anerkannt, weil das Bedürfnis derselben, so wie sie hier gefaßt ist, erst aus der Aufgabe, die theologischen Wissenschaften zu organisieren, entsteht. Der Stoff derselben ist aber schon in ziemlicher Vollständigkeit bearbeitet zufolge praktischer Bedürfnisse, welche aus verschiedenen Zeitumständen erwuchsen.

§ 25. Der Zweck der christlichen Kirchenleitung ist sowohl extensiv als intensiv zusammenhaltend und anbildend; und das Wissen um diese Tätigkeit bildet sich zu einer Technik, welche wir, alle verschiedenen Zweige derselben zusammenfassend, mit dem Namen der praktischen Theologie bezeichnen.[2])

---

[1]) S. 7. § 25. Hieraus das Wesentliche in der gesamten Erscheinung der christlichen Kirche zu verstehen, ist die Aufgabe des philosophischen Teiles der Theologie.

§ 26. Die philosophische Theologie ist die Wurzel der gesamten Theologie.

§ 27. Sie ist so wenig bearbeitet, daß ihr sogar noch der bestimmte und allgemein geltende Name fehlt.

[2]) § 28. Der Zweck des christlichen Kirchenregimentes kann nur dahin gehen, dem Christentum sein zugehöriges Gebiet zu sichern und immer vollständiger anzueignen, und innerhalb dieses Gebietes die Idee des Christentums immer reiner darzustellen.

S. 8. § 29. Hierzu muß es eine Technik geben, welche sich auf den Besitz der darzustellenden Idee und auf die Kenntnis des zu regierenden Ganzen stützt.

§ 30. Die Darstellung dieser Technik ist der praktische Teil der Theologie.

§ 31. Die praktische Theologie ist die Krone des theologischen Studiums.

§ 32. Sie ist bisher mehr in Bezug auf das Kleine und Einzelne, als auf das Große und Ganze als Theorie behandelt.

Auch diese Disziplin ist bisher sehr ungleich bearbeitet. In großer Fülle nämlich, was die Geschäftsführung im einzelnen betrifft; hingegen was die Leitung und Anordnung im großen betrifft, nur sparsam, ja in disziplinarischem Zusammenhange nur für einzelne Teile.

§ 26. Die Kirchenleitung erfordert aber auch die Kenntnis des zu leitenden Ganzen in seinem jedesmaligen Zustande, welcher, da das Ganze ein geschichtliches ist, nur als Ergebnis der Vergangenheit begriffen werden kann; und diese Auffassung in ihrem ganzen Umfang ist die historische Theologie im weiteren Sinne des Wortes.[1])

Die Gegenwart kann nicht als Keim einer dem Begriff mehr entsprechenden Zukunft richtig behandelt werden, wenn nicht erkannt wird, wie sie sich aus der Vergangenheit entwickelt hat.

§ 27. Wenn die historische Theologie jeden Zeitpunkt in seinem wahren Verhältnis zu der Idee des Christentums darstellt: so ist sie zugleich nicht nur die Begründung der praktischen, sondern auch die Bewährung der philosophischen Theologie.[2])

Beides natürlich um so mehr, je mannigfaltigere Entwicklungen schon vorliegen. Daher war die Kirchenleitung anfangs mehr Sache eines richtigen Instinkts, und die philosophische Theologie manifestierte sich nur in wenig kräftigen Versuchen.

§ 28. Die historische Theologie ist sonach der eigentliche Körper des theologischen Studiums, welcher durch die philosophische Theologie mit der eigentlichen Wissenschaft,

---

[1]) S. 8. § 33. Die christliche Kirche als das zu Regierende ist ein Werdendes, in welchem die jedesmalige Gegenwart begriffen werden muß als Produkt der Vergangenheit und als Keim der Zukunft.

§ 34. Dasjenige, worauf gewirkt werden soll, ist also nicht zu verstehen ohne seine Geschichte, und diese in ihrem ganzen Umfang bildet den historischen Teil der Theologie.

[2]) S. 9. § 35. Indem die historische Theologie jeden Zeitpunkt darstellt in Bezug auf das Prinzip, enthält sie die Bewährung der philosophischen, indem in Bezug auf den vorhergegangenen,*) enthält sie die Begründung der praktischen.

---

* sc. Zeitpunkt.

und durch die praktische mit dem tätigen christlichen Leben zusammmenhängt.[1])

Die historische Theologie schließt auch den praktischen Teil geschichtlich in sich, indem die richtige Auffassung eines jeden Zeitraums auch bekunden muß, nach was für leitenden Vorstellungen die Kirche während desselben regiert worden. Und wegen des im § 27 aufgezeigten Zusammenhanges muß sich ebenso auch die philosophische Theologie in der historischen abspiegeln.

§ 29. Wenn die philosophische Theologie als Disziplin gehörig ausgebildet wäre, könnte das ganze theologische Studium mit derselben beginnen. Jetzt hingegen können die einzelnen Teile derselben nur fragmentarisch mit dem Studium der historischen Theologie gewonnen werden; aber auch dieses nur, wenn das Studium der Ethik vorangegangen ist, welche wir zugleich als die Wissenschaft der Prinzipien der Geschichte anzusehen haben.[2])

Ohne die fortwährende Beziehung auf ethische Sätze kann auch das Studium der historischen Theologie nur unzusammenhängende Vorübung sein, und muß in geistlose Überlieferung ausarten; woher sich großenteils der oft so verworrene Zustand der theologischen Disziplinen und der gänzliche Mangel an Sicherheit in der Anwendung derselben auf die Kirchenleitung erklärt.

§ 30. Nicht nur die noch fehlende Technik für die Kirchenleitung kann nur aus der Vervollkommnung der historischen Theologie durch die philosophische hervorgehen, sondern selbst die gewöhnliche Mitteilung der Regeln für die einzelne Geschäftsführung kann nur als mechanische Vor-

---

[1]) S. 9. § 36. Die historische Theologie ist der eigentliche Körper des gesamten theologischen Studiums und faßt auf ihre Art auch die andern beiden Teile in sich.

[2]) § 37. Die Ethik ist die Wissenschaft der Prinzipien der Geschichte; diese also wird bei jedem theologischen Studium vorausgesetzt, und es gründet sich auf sie.

§ 38. Für eines jeden theologisches Studium müßte der philosophische Teil, wenn er schon zur Disziplin ausgebildet wäre, der erste sein. Solange jeder ihn sich selbst bilden muß, kann er nur neben dem historischen gewonnen werden.

schrift wirken, wenn ihr nicht das Studium der historischen Theologie vorangegangen ist.[1])

Aus der übereilten Beschäftigung mit dieser Technik entsteht die Oberflächlichkeit in der Praxis, und die Gleichgiltigkeit gegen wissenschaftliche Fortbildung.

§ 31. In dieser Trilogie, philosophische, historische und praktische Theologie, ist das ganze theologische Studium beschlossen; und die natürlichste Ordnung für diese Darstellung ist unstreitig die, mit der philosophischen Theologie zu beginnen und mit der praktischen zu schließen.[2])

Bei welchem Teile wir auch anfangen wollten: so würden wir immer wegen des gegenseitigen Verhältnisses, in welchem sie miteinander stehen, manches aus den andern voraussetzen müssen.

Erster Teil.

Von der philosophischen Theologie.

Einleitung.

§ 32. Da das eigentümliche Wesen des Christentums sich ebensowenig rein wissenschaftlich konstruieren läßt, als es bloß empirisch aufgefaßt werden kann: so läßt es sich nur kritisch bestimmen (vgl. § 23) durch Gegeneinanderhalten dessen, was im Christentum geschichtlich gegeben ist, und der Gegensätze, vermöge deren fromme Gemeinschaften können voneinander verschieden sein.[3])

---

[1]) S. 9. § 39. Was sich zunächst auf die Ausübung bezieht, die praktische Theologie, ist für das Studium das letzte.

[2]) S. 10. § 40. Es ist also zu handeln zuerst von der philosophischen Theologie, dann von der historischen und zuletzt von der praktischen. In diesen ist das ganze Studium beschlossen.

[3]) S. 11. § 1. So wenig das eigentümliche Wesen des Christentums bloß

Sowenig sich die Eigentümlichkeit einzelner Menschen konstruieren läßt, wenngleich allgemeine Rubriken für charakteristische Verschiedenheiten angegeben werden können: ebensowenig auch die Eigentümlichkeit solcher zusammengesetzter oder moralischer Persönlichkeiten.

§ 33. Die philosophische Theologie kann daher ihren Ausgangspunkt nur über dem Christentum in dem logischen Sinne des Wortes nehmen, d. h. in dem allgemeinen Begriff der frommen oder Glaubensgemeinschaft.[1])

Zufolge des Vorigen nämlich kann überhaupt jede bestimmte Glaubensform und Kirche nur vermittelst ihrer Verhältnisse des Neben- und Nacheinanderseins zu andern richtig verstanden werden; und dieser Ausgangspunkt ist insofern für alle analogen Disziplinen anderer Theologien derselbe, indem alle auf denselben höheren Begriff und auf eine Teilbarkeit desselben zurückgehen müssen, um jene Verhältnisse darzulegen.

§ 34. Wie sich irgend ein geschichtlich gegebener Zustand des Christentums zu der Idee desselben verhält, das bestimmt sich nicht allein durch den Inhalt dieses Zustandes, sondern auch durch die Art, wie er geworden ist.[2])

Beides ist allerdings durcheinander bedingt, indem verschieden beschaffene Zustände aus demselben früheren nur können durch einen verschiedenen Prozeß hervorgegangen sein, und ebenso umgekehrt. Um so sicherer aber kann bald mehr das eine, bald mehr das andere zur Auffindung jenes Verhältnisses benutzt werden. Und daß in einem lebendigen und geschichtlichen Ganzen nicht alle Zustände sich zu der Idee desselben gleich verhalten, versteht sich von selbst.

---

empirisch kann aufgefaßt werden (Einl. 22), eben so wenig läßt es sich rein wissenschaftlich aus Idee allein ableiten.

S. 11. § 2. Es ist also nur durch Gegeneinanderhalten des geschichtlich in ihm Gegebenen und des in der Idee der Religion und der Kirche als veränderliche Größe Gesetzten zu bestimmen.

§ 3. Da dasselbe von allen geschichtlich gegebenen Religionsformen und Kirchen gilt: so ist in diesem Sinn jede nur mit ihrem Verhältnis des Neben- und Nacheinanderseins zu andern zugleich zu verstehen.

[1]) S. 12. § 4. Der Standpunkt der philosophischen Theologie in Beziehung auf das Christentum überhaupt ist nur über demselben zu nehmen.

[2]) § 5. Das Verhältnis des im Christentum geschichtlich Gegebenen zu der Idee desselben drückt sich nicht nur durch den Inhalt aus, sondern auch durch die Art des Werdens.

§ 35. Da die Ethik als Wissenschaft der Geschichtsprinzipien auch die Art des Werdens eines geschichtlichen Ganzen nur auf allgemeine Weise darstellen kann: so läßt sich ebenfalls nur kritisch durch Vergleichung der dort aufgestellten allgemeinen Differenzen mit dem geschichtlich Gegebenen ausmitteln, was in der Entwicklung des Christentums reiner Ausdruck seiner Idee ist, und was hingegen als Abweichung hievon, mithin als Krankheitszustand, angesehen werden muß.[1])

Krankheitszustände gibt es in geschichtlichen Individuen nicht minder, als in organischen; von untergeordneten Differenzen in der Entwicklung kann hier nicht die Rede sein.

§ 36. So oft das Christentum sich in eine Mehrheit von Kirchengemeinschaften teilt, welche doch auf denselben Namen, christliche zu sein, Ansprüche machen: so entstehen dieselben Aufgaben auch in Beziehung auf sie; und es gibt dann, außer der allgemeinen, für jede von ihnen noch eine besondere philosophische Theologie.[2])

---

[1]) S. 12. § 6. Die Ethik als Wissenschaft der Geschichtsprinzipien muß darstellen, wie dasjenige wird, was in einem geschichtlichen Ganzen reiner Ausdruck der Idee ist. Sie kann es aber nur im allgemeinen.

§ 7. Nur durch Gegeneinanderhaltung des Gegebenen mit den dort aufgestellten allgemeinen Formen läßt sich von dieser Seite erkennen, was in dem geschichtlich gegebenen Christentum reiner Ausdruck der Idee desselben ist.

§ 8. Wie keine geschichtliche Erscheinung ihrer Idee rein entspricht, sondern Abweichungen enthält, die in jener nicht aufgehen und nur als Krankheitszustand zu begreifen sind, so auch das Christentum.

S. 13. § 9. Nur durch Gegeneinanderhaltung eines Gegebenen mit dem als Wesen des Christentums Erkannten läßt sich inne werden, was wirklich als Krankheit zu setzen ist.

[2]) § 10. Das Christentum, wie jede Kirche, teilt sich selbst in Parteien, die unter sich im relativen Gegensatze stehen und sich zur christlichen Kirche selbst verhalten, wie diese und andere gegebene Kirchen zur absoluten Idee der Kirche.

§ 11. Alles bisher (1—9) Gesagte gilt also notwendig auch von ihnen.

Offenbar befinden wir uns in diesem Fall; denn wenn auch jede von diesen besonderen Gemeinschaften alle anderen für krankhaft gewordene Teile erklärte: so müßten doch von unserem Ausgangspunkt (s. § 33) aus schon zum Behuf der ersten Aufgabe die Ansprüche aller jenem kritischen Verfahren anheimfallen. Unsere besondere philosophische Theologie ist daher protestantisch.

§ 37. Da die beiden hier — in § 32 und 35 — gestellten Aufgaben den Zweck der philosophischen Theologie erschöpfen: so ist diese ihrem wissenschaftlichen Gehalt nach Kritik, und sie gehört der Natur ihres Gegenstandes nach der geschichtskundlichen Kritik an.[1])

In der Lösung dieser Aufgaben ist nämlich alles enthalten, was der historischen Theologie sowohl, als der praktischen, in ihrer Beziehung zur Kirchenleitung zum Grunde legen muß.

§ 38. Als theologische Disziplin muß der philosophischen Theologie ihre Form bestimmt werden durch ihre Beziehung auf die Kirchenleitung.[2])

Das gilt natürlich auch von jeder speziellen philosophischen Theologie.

§ 39. Wie jeder in seiner Kirchengemeinschaft nur ist vermöge seiner Überzeugung von der Wahrheit der sich darin fortpflanzenden Glaubensweise: so muß die erhaltende Richtung der Kirchenleitung auch die Abzweckung haben, diese Überzeugung durch Mitteilung zur Anerkenntnis zu bringen. Hiezu bilden aber die Untersuchungen über das eigentümliche Wesen des Christentums und ebenso des Protestantismus die

---

[1]) S. 13. § 12. Da die hier gestellten Aufgaben den Inhalt der philosophischen Theologie erschöpfen: so ist diese ihrem innern Wesen nach Kritik und führt ihren Namen nur in einem weitern Sinne, wegen ihrer unmittelbaren Beziehung auf die Hauptsätze der Ethik.

[2]) S. 14. § 17. Als theologische Disziplin nimmt die philosophische Theologie ihre Form von dem Interesse an dem Wohlbefinden und der Fortbildung der Kirche.

§ 18. Als solche ist sie, jedesmal wenn ein solcher Gegensatz besteht, auch wesentlich in einer Kirchenpartei befangen, und also für jede eine besondere.

S. 15. § 19. Als solche enthält sie, dem Obigen zufolge, die Prinzipien der Apologetik und der Polemik und ist in diesen ganz beschlossen.

Grundlage, welche daher den apologetischen Teil der philosophischen Theologie ausmachen, jene der allgemeinen christlichen, diese der besonderen des Protestantismus.[1])

Bei dieser Benennung ist an keine andere Verteidigung zu denken, als welche von der Anfeindung der Gemeinschaft abhalten will. Das Bestreben, auch andere in diese Gemeinschaft hineinzuziehen, ist eine klerikalische, allerdings aus der Apologetik schöpfende Ausübung; und eine Technik für dasselbe, die aber kaum anfängt sich zu bilden, wäre der zunächst auf der Apologetik beruhende Teil der praktischen Theologie.

§ 40. Da jeder, nach Maßgabe der Stärke und Klarheit seiner Überzeugung, auch Mißfallen haben muß an den in seiner Gemeinschaft entstandenen krankhaften Abweichungen: so muß die Kirchenleitung, vermöge ihrer intensiv zusammenhaltenden Richtung (§ 25), zunächst die Abzweckung haben, diese Abweichungen als solche zum Bewußtsein zu bringen. Dies kann nur vermöge richtiger Darstellung von dem Wesen des Christentums und so auch des Protestantismus geschehen, welche daher in dieser Anwendung den polemischen Teil der philosophischen Theologie bilden, jene der allgemeinen, diese der besonderen protestantischen.[2])

Die klerikalische Praxis, welche auf die Beseitigung der Krankheitszustände ausgeht, hat hier ihre Prinzipien; und die Technik derselben wäre der zunächst auf die Polemik zurückgehende Teil der praktischen Theologie.

---

[1]) S. 13. § 13. Der lebendige Sinn des einzelnen in einer Kirche und Kirchenpartei ist zugleich seine innere Überzeugung von ihrer geschichtlichen Giltigkeit.

S. 14. § 14. Die lebendige Tätigkeit des einzelnen im Kirchenregiment ist zugleich das Bestreben, ihre innere Giltigkeit auch äußerlich geltend zu machen oder sie zu verteidigen.

[2]) § 15. Das lebendige Sein des einzelnen in einer Kirche oder Kirchenpartei ist zugleich sein inneres Mißfallen an den krankhaften Abweichungen, die darin vorkommen.

§ 16. Zur Tätigkeit des einzelnen im Kirchenregiment gehört auch das Bestreben, diese Abweichungen als solche kenntlich zu machen und hinwegzuschaffen.

§ 41. So wie die Apologetik ihre Richtung ganz nach außen nimmt, so die Polemik die ihrige durchaus nach innen.

Die weit gewöhnlicher so genannte, nach außen gekehrte besondere Polemik der Protestanten, z. B. gegen die Katholiken, und ebenso die allgemeine der Christen gegen die Juden oder auch die Deisten und Atheisten, ist ebenfalls eine im weiteren Sinne des Wortes klerikalische Ausübung, welche einerseits mit unserer Disziplin nichts gemein hat, andererseits auch schwerlich von einer wohl bearbeiteten praktischen Theologie als heilsam dürfte anerkannt werden. Man könnte allerdings behaupten, diese Ausübung müsse nur nicht als eine protestantische angesehen werden, sondern als eine allgemein christliche, so habe sie ihre Richtung auch nach innen. Allein dann ginge sie auch nicht, wie es doch immer gemeint ist, gegen den Katholizismus im ganzen, sondern nur gegen dasjenige darin, was nicht seiner eigentümlichen Form angehört, sondern als Krankheitszustand des Christentums zu betrachten ist.

§ 42. Da nun die philosophische Theologie keine weiteren Aufgaben enthält: so ist im folgenden zu handeln von der Organisation der Apologetik und der Polemik, und zwar der allgemeinen christlichen sowohl, als der besonderen protestantischen.

Entweder also zuerst von der allgemeinen philosophischen Theologie in ihren beiden Teilen, und dann ebenso von der besonderen; oder zuerst von der Apologetik, der allgemeinen und besonderen, und dann ebenso von der Polemik. Die letztere Anordnung ist vorgezogen worden.

Erster Abschnitt.

Grundsätze der Apologetik.

§ 43. Da der Begriff frommer Gemeinschaften oder der Kirche sich nur in einem Inbegriff nebeneinander bestehender und aufeinander folgender geschichtlicher Erscheinungen verwirklicht, welche in jenem Begriff eins, unter sich aber verschieden sind: so muß auch von dem Christentum durch Darlegung sowohl jener Einheit, als dieser Differenz nachgewiesen werden, daß es in jenen Inbegriff gehört. Dies geschieht mittelst Aufstellung und Gebrauchs der Wechselbegriffe des Natürlichen und Positiven.[1])

Die Aufstellung dieser Begriffe, wovon jener das Gemeinsame aller, dieser die Möglichkeit verschiedener eigentümlicher Gestaltungen desselben aussagt, gehört eigentlich der Religionsphilosophie an; daher dieselben auch gleich giltig sind für die Apologetik jeder frommen Gemeinschaft. Könnte nun auf diese Weise auf die Religionsphilosophie bezogen werden; so bliebe für die christliche Apologie hievon nur übrig, was der folgende Paragraph enthält.

§ 44. Auf den Begriff des Positiven zurückgehend, muß dann für das eigentümliche Wesen des Christentums eine Formel aufgestellt und mit Beziehung auf das Eigentümliche anderer frommen Gemeinschaften unter jenen Begriff subsumiert werden.[2])

Dies ist zwar die Grundaufgabe der Apologetik; aber je mehr eine solche Formel nur durch ein kritisches Verfahren (vgl. § 32) gefunden werden kann, um desto mehr kann sie sich erst im Gebrauch vollständig bewähren.

§ 45. Das Christentum muß seinen Anspruch auf abgesondertes geschichtliches Dasein auch geltend machen durch die Art und Weise seiner Entstehung; und dieses geschieht durch Beziehung auf die Begriffe Offenbarung, Wunder und Eingebung.[3])

Je mehr auf ursprüngliche Tatsachen zurückgehend, desto größeres An-

---

[1]) S. 15. § 1. Da die Idee der Kirche sich nur in einer Mehrheit geschichtlicher Erscheinungen realisiert, welche in jener Idee eins, unter sich aber verschieden sind: so muß auch von dem Christentum, wenn es als eine solche geltend gemacht werden soll, sowohl jene Einheit als diese Differenz nachgewiesen werden. Diese Untersuchung umfaßt die Wechselbegriffe des Natürlichen und Positiven.

[2]) § 2. Sie muß, auf allgemeine Bestimmung darüber, worin das eigentümliche Wesen einer besondern Religionsform und Kirche zu setzen sei, sich gründend, in diesem Gebiet das Wesen des Christentums nachweisen.

[3]) S. 16. § 5. Das Christentum, als neue und ursprüngliche Tatsache, muß sich auch durch die Art, wie es entstanden ist, (I. Einl. 5) ausweisen. Diese Untersuchung umfaßt die Begriffe von Offenbarung, Wunder und Eingebung.

recht auf Selbständigkeit, und umgekehrt; wie dasselbe auch bei anderen Arten der Gemeinschaft stattfindet.

§ 46. Wie aber die geschichtliche Darstellung der Idee der Kirche auch als fortlaufende Reihe anzusehen ist: so muß ungeachtet des §§ 43 und 44 Gesagten doch auch die geschichtliche Stetigkeit in der Folge des Christentums auf das Judentum und Heidentum nachgewiesen werden, welches durch Anwendung der Begriffe Weissagung und Vorbild geschieht.[1])

Das rechte Maß in Feststellung und Gebrauch dieser Begriffe ist vielleicht die höchste Aufgabe der Disziplin; und je vollkommener gelöst, desto festere Grundlage hat die von außen anbildende Ausübung.

§ 47. Da die christliche Kirche, wie jede geschichtliche Erscheinung, ein sich Veränderndes ist: so muß auch nachgewiesen werden, wie durch diese Veränderungen die Einheit des Wesens dennoch nicht gefährdet wird. Diese Untersuchung umfaßt die Begriffe Kanon und Sakrament.[2])

Die Apologetik hat es mit den dogmatischen Theorien über beide nicht zu tun; indem diese hier nicht antizipiert werden können. Beide Tatsachen aber beziehen sich ihrem Begriff nach auf die Stetigkeit des Wesentlichen im Christentume, der erste, wie sie sich in der Produktion der Vorstellung, der andere, wie sie sich in der Überlieferung der Gemeinschaft ausspricht.

§ 48. Wie der Begriff der Kirche sich wissenschaftlich nur ergibt im Zusammenhang (vgl. § 22) mit denen aller andern aus dem Begriff der Menschheit sich entwickelnden

---

[1]) S. 16. § 6. Da die ganze geschichtliche Darstellung der Idee der Kirche auch als Eine fortlaufende Reihe anzusehen ist: so muß ebenso auch auf der andern Seite das Hervorgehen des Christentums aus dem Judentum und Heidentum dargestellt werden. Diese Untersuchung umfaßt die Begriffe von Weissagung und Vorbild.

[2]) S. 17. § 7. Da die christliche Kirche als geschichtliche Erscheinung ein Zeitliches, also sich Veränderndes ist: so ist auch auszuführen, woran unter diesen Veränderungen die bleibende Einheit des Wesens, sowohl im Gebiete der Lehre, als der Gemeinschaft, kann erkannt werden. Diese Untersuchung bezieht sich auf die Begriffe Kanon und Sakrament.

Organisationen gemeinsamen Lebens: so muß nun auch von der christlichen Kirche nachgewiesen werden, daß sie ihrem eigentümlichen Wesen nach mit allen jenen Organisationen zusammenbestehen kann, welches sich aus richtiger Erörterung der Begriffe Hierarchie und Kirchengewalt ergeben muß.[1])

Vorzüglich kommen hier in Betracht der Staat und die Wissenschaft. Denn niemanden könnte zugemutet werden, die Giltigkeit des Christentums anzuerkennen, wenn es durch sein Wesen einem von diesen entgegenstrebte. Die Aufgabe ist daher um so vollständiger gelöst, je bestimmter gezeigt werden kann, daß diese inneren Institutionen der Kirche ihrem Begriffe nach nur die unabhängige Entwicklung derselben im Zusammenhang mit Staat und Wissenschaft bezwecken, nicht aber die gleich unabhängige Entwicklung jener zu stören meinen. Alles hierüber in die praktische Theologie Gehörige bleibt hier ausgeschlossen.

§ 49. Je mehr in allen diesen Untersuchungen auf beides Bezug genommen wird, sowohl darauf, daß das Christentum als organische Gemeinschaft bestehen will, als auch darauf, daß es sich vorzüglich durch den Gedanken darstellt und mitteilt (vgl. § 2), um desto mehr müssen sie den Grund zu der Überzeugung legen, daß auch von Anfang an (vgl. § 44) das Wesen des Christentums richtig ist aufgefaßt worden.[2])

Wenn sich doch in allem, was sich auf Lehre und Verfassung bezieht, dasselbe Wesen des Christentums übereinstimmend mit der aufgestellten Formel ausspricht: so ist dies die beste Bewährung für diese.

---

[1]) S. 17. § 8. Da die Kirche als notwendiges Erzeugnis auf einem und demselben Grunde beruht mit allen andern in der Entwickelung der Menschheit sich wesentlich ergebenden Organisationen eines gemeinsamen Lebens: so muß auch von dem Christentum nachgewiesen werden, daß es mit jenen allen zusammenbestehen kann. Dieses Bestreben geht aus auf richtige Bestimmung der Begriffe Hierarchie und Kirchengewalt.

[2]) S. 16. § 3. Da das eigentümliche Wesen einer besondern Religionsform sich auf der idealen Seite am kenntlichsten in ihren Dogmen ausspricht und auf der realen in ihrer Verfassung: so muß, um die innere Konsistenz des Christentums darzustellen, nachgewiesen werden, wie sich dasselbige Wesen in beiden ausspricht.

§ 4. Diese Kongruenz muß die Probe geben, daß das Wesen des Christentums richtig aufgefaßt ist.

§ 50. Befindet sich die Kirche in einem Zustande der Teilung, so muß die spezielle Apologetik einer jeden Kirchenpartei, mithin jetzt auch die protestantische, denselben Gang einschlagen, wie die allgemeine.[1])

Denn die Aufgabe ist dieselbe, und das Verhältnis jeder einzelnen Kirchenpartei zu den übrigen gleich dem des Christentums zu den andern verwandten Glaubensgemeinschaften. Die in § 47 geforderte Nachweisung führt auf die Begriffe von Konfession und Ritus, und bei der in § 48 beschriebenen kommt es vorzüglich auf das Verhältnis zum Staat an.

§ 51. Auch die allgemeine christliche Apologetik wird in diesem Fall, von der Ansicht jeder besonderen Gestaltung des Christentums affiziert, sich in jeder eigentümlich gestalten.[2])

Dies wird allerdings um desto weniger der Fall sein, je strenger aus der Erörterung alles Dogmatische ausgeschieden wird. Niemals aber darf es so weit gehen, daß jede nur sich selbst als Christentum zur Anerkenntnis bringen will, die andern aber als unchristlich darstellt. Wofür schon durch die Scheidung der allgemeinen und besondern Apologetik gesorgt werden soll.

§ 52. Da mehrere im Gegensatz miteinander stehende christliche Kirchengemeinschaften sich nur bilden konnten aus einem Zustande des Ganzen, in welchem kein Gegensatz ausgesprochen war: so hat sich jede um so mehr gegen den Vorwurf der Anarchie oder der Korruption zu verteidigen, als auch jede wieder geneigt ist, von sich selbst zu behaupten, daß sie an den ursprünglichen Zustand anknüpfe.[3])

---

[1]) S. 17. § 9. Auf gleiche Weise hat die Apologetik, wiefern sie sich auf eine besondere Kirchenpartei richtet, sowohl deren mit andern gemeinsames Sein in der christlichen Kirche, als auch ihr besonderes Für-sich-Bestehn zu begründen. Ihr Gegenstand ist in diesem Sinne vorzüglich alles, was unter die Begriffe Konfession und Ritus gehört.

[2]) S. 18. § 10. Nicht nur kann jede Kirchenpartei nur sich selbst und nicht auch die andere verteidigen, sondern ihre Ansicht wird sich auch mehr oder weniger durch das ganze Geschäft der Apologetik hindurchziehen.

[3]) § 11. Da Kirchenparteien als Gegensatz nur entstehen können aus einem Zustande, in welchem kein Gegensatz stattfindet: so hat jede

Weder war im ursprünglichen Christentum ein Gegensatz ausgesprochen, noch kann jemals ein Gegensatz an die Stelle eines anderen treten, ohne daß jener vorher verschwunden wäre.

§ 53. Da eben deshalb jeder Gegensatz dieser Art innerhalb des Christentums auch dazu bestimmt erscheint, wieder zu verschwinden: so wird die Vollkommenheit der speziellen Apologetik darin bestehen, daß sie divinatorisch auch die Formen für dieses Verschwinden mit in sich schließt.[1])

Eine prophetische Tendenz soll hierdurch der speziellen Apologetik keinesweges beigelegt werden. Aber je richtiger in dieser Beziehung das eigentümliche Wesen des Protestantismus aufgefaßt ist, um desto haltbarere Gründe wird die spezielle Apologetik darbieten, um falsche Unionsversuche abzuwehren, da jeder auf der Voraussetzung beruht, der Gegensatz sei schon in einem gewissen Grade verschwunden.

Zweiter Abschnitt.

Grundsätze der Polemik.[2])

§ 54. Krankhafte Erscheinungen eines geschichtlichen Organismus (vgl. § 35) können teils in zurücktretender Lebenskraft gegründet sein, teils darin, daß sich beigemischtes Fremdartige in demselben für sich organisiert.[3])

---

sich zu verteidigen gegen den Vorwurf entweder der Anarchie oder der Korruption.

[1]) S 18. § 12. Da solche Gegensätze innerhalb des Christentums schon oft wieder verschwunden sind: so muß die besondere Apologetik auch sich selbst begrenzen, und wissen, wo das abgesonderte Dasein einer Partei nicht mehr vermag als eigentümliche Darstellung des Christentums zu gelten.

[2]) S. 19. § 1. *Die Prinzipien der Polemik gehören zur philosophischen Theologie als ihre negative Seite, als die Auffindung und Anerkennung dessen, was in der Erscheinung des Christentums seiner Idee nicht entspricht.*

[3]) § 2. Es kann in der Erscheinung ein allgemein geschwächter Lebensprozeß nicht mehr der ursprünglichen Kraft der einwohnenden Idee entsprechen; es kann teilweise etwas absterben oder sich nicht neu entwickeln, was zur Darstellung der Idee gehört; es kann endlich in der Erscheinung sich etwas entwickeln, was der Idee widerspricht.

Es ist nicht nötig, hiebei auf die Analogie mit dem animalischen Organismus zurückzugehen; derselbe Typus kann auch schon an den Krankheiten der Staaten zur Anschauung gebracht werden.

§ 55. Da der Trieb, die christliche Frömmigkeit zum Gegenstand einer Gemeinschaft zu machen, nicht notwendig in gleichem Verhältnis steht mit der Stärke dieser Frömmigkeit selbst: so kann bald mehr das eine von beiden geschwächt sein und zurücktreten, bald mehr das andere.

Beides in der höchsten Vollkommenheit vereinigt, bildet freilich den normalen Gesundheitszustand der Kirche, der aber während ihres geschichtlichen Verlaufs nirgends vorausgesetzt werden kann. Eben daraus aber, daß dieser Gesundheitszustand nur als die vollständige Einheit jenes Zwiefachen beschrieben werden kann, folgt schon, daß einseitige Abweichungen nach beiden Seiten hin möglich sind.

§ 56. Diejenigen Zustände, durch welche sich vorzüglich offenbart, daß die christliche Frömmigkeit selbst krankhaft geschwächt ist, werden unter dem Namen Indifferentismus zusammengefaßt; und die Aufgabe ist daher, zu bestimmen, wo das, was als eine solche Schwächung erscheint, wirklich beginnt, krankhaft zu sein, und in wie mancherlei Gestalten dieser Zustand sich darstellt.[1])

Es ist die gewöhnliche Bedeutung dieses Ausdrucks, Gleichgiltigkeit in Bezug auf das eigentümliche Gepräge der christlichen Frömmigkeit darunter zu verstehen; wobei allerdings noch Frömmigkeit ohne bestimmtes Gepräge stattfinden kann. — Außerdem aber werden häufig Zustände auf Rechnung einer solchen Schwäche geschrieben, die ganz anders zu erklären sind. — Daß bei wirklichem Indifferentismus auch der christliche Gemeinschaftstrieb geschwächt sein muß, ist natürlich; dies ist aber dann nur Folge der Krankheit, nicht Ursache derselben.

§ 57. Diejenigen Zustände, welche vornehmlich auf geschwächten Gemeinschaftsbetrieb deuten, werden durch den

---

[1]) S. 19. § 3. Die allgemeinste Form des ersten Übels ist der Indifferentismus. Wenn dieser aus dem Prinzip des Christentums hervorginge: so würde dieses sich selbst aufheben. Soll also dem Christentum eine notwendige Existenz zukommen: so muß er nachgewiesen werden als Krankheitszustand.

Namen Separatismus bezeichnet, welcher also ebenfalls in seinen Grenzen und seiner Gliederung genauer zu bestimmen ist.[1])

Genauer, als gewöhnlich geschieht, ist zu unterscheiden zwischen eigentlichem Separatismus und Neigung zum Schisma; zumal jener, ungeachtet seiner gänzlichen Negativität, oft den Schein von dieser annimmt. Offenbar ist, daß der Gemeinschaftstrieb, wenn er in seiner vollen Stärke vorhanden ist, auch alle Glieder durchdringen muß. Er ist also desto mehr geschwächt, je mehrere sich bewußt und absichtlich ausschließen, ungeachtet sie dieselbe christliche Frömmigkeit zu besitzen behaupten.

§ 58. Da das eigentümliche Wesen des Christentums sich vorzüglich ausspricht einerseits in der Lehre und andererseits in der Verfassung: so kann sich in der Kirche auch Fremdartiges organisieren, teils in der Lehre als Ketzerei, Häresis, teils in der Verfassung als Spaltung, Schisma; und beides ist daher in seinen Grenzen und Gestaltungen zu bestimmen.[2])

In den meisten Fällen, jedoch nicht notwendig, wird, wenn sich eine abweichende Lehre verbreitet, daraus auch eine besondere Gemeinschaft entstehen; allein diese ist als bloße Folge jenes Zustandes nicht eigentliche Spaltung. Ebenso wird sich innerhalb einer Spaltung großenteils, jedoch nicht notwendig, auch abweichende Lehre entwickeln; allein diese braucht deshalb nicht häretisch zu sein.

§ 59. Alle hier aufgestellten Begriffe können weder bloß empirisch gefunden, noch rein wissenschaftlich abgeleitet

---

[1]) S. 20. § 4. Die allgemeinste Form des zweiten Übels ist der Separatismus. Wenn dieser dem Prinzip des Christentums gemäß wäre: so würde er die Kirche, d. h. seine geschichtliche Realität selbst zerstören. Er muß also begriffen werden als Krankheit.

§ 5. *Wenn das dem Wesen des Christentums Zuwiderlaufende auch außer der Erscheinung desselben gesetzt wird: so ist es kein Gegenstand der Polemik. Gegen den Atheismus oder gegen einen antireligiösen Verein gibt es keine Polemik.*

[2]) § 6. Das innerhalb der Erscheinung des Christentums seinem Wesen Widerstreitende ist, wenn es sich in der Lehre selbständig organisiert, Ketzerei, wenn in der Gemeinschaft, Spaltung.

werden, sondern nur durch das hier überall vorherrschende kritische Verfahren festgestellt; weshalb sie sich durch den Gebrauch immer mehr bewähren müssen, um ganz zuverlässig zu werden.[1])

In Bezug auf Spaltung und Ketzerei muß wegen der großen Mannigfaltigkeit der Erscheinungen dies Verfahren auf einer Klassifikation beruhen, welche sich dadurch bewährt, daß die vorhandenen Erscheinungen mit Leichtigkeit darunter subsumiert werden können. In Bezug auf Indifferentismus und Separatismus bewährt es sich desto mehr, je mehr es hindert, daß nicht durch allzugroße Strenge für krankhaft erklärt werde, was noch gesund ist, und umgekehrt.

§ 60. Was als krankhaft aufgestellt wird, davon muß nachgewiesen werden, teils seinem Inhalte nach, daß es dem Wesen des Christentums, wie sich dieses in Lehre und Verfassung ausgedrückt hat, widerspricht oder es auflöst, teils seiner Entstehung nach, daß es nicht mit der von den Grundtatsachen des Christentums ausgehenden Entwicklungsweise zusammenhängt.[2])

Je mehr beides zusammentrifft und sich gegenseitig erklärt, um desto sicherer erscheint die Bestimmung.

§ 61. In Zeiten, wo die christliche Kirche geteilt ist, hat jede spezielle Polemik einer besonderen christlichen Kirchengemeinschaft denselben Weg zu verfolgen, wie die allgemeine.

Die Sachverhältnisse sind dieselben. Nur daß einerseits in solchen Zeiten natürlich Indifferentismus und Separatismus ursprünglich in den partiellen Kirchengemeinschaften einheimisch sind, und nur insofern allgemeine Übel werden, als sie sich in mehreren nebeneinander be-

---

[1]) S. 20. § 7. Vermöge des Gegensatzes (I. Einl. 1. 2) muß gelten, daß weder bloß empirisch aufgefaßt, noch rein wissenschaftlich abgeleitet werden kann, was im einzelnen Häresis und Schisma ist, sondern nur durch Gegeneinanderhalten des Gegebenen und der Idee.

[2]) S. 21. § 8. Das polemische Verfahren ist daher, die Ausartung an dem Inhalt zu beweisen, entweder durch Widerspruch gegen Kanon und Sakrament (T. I. Abschn. I. 7), in Bezug auf die Kirche, und gegen Konfession und Ritus (Ebend. 9), in Bezug auf die Partei, oder durch die natürliche Kongruenz zwischen Häresis und Schisma (Ebend. 3).

stehenden christlichen Gemeinschaften gleichmäßig vorfinden, andererseits aber, was nur dem eigentümlichen Wesen einer partiellen Gemeinschaft widerspricht, nie sollte durch den Ausdruck häretisch ode schismatisch bezeichnet werden.

§ 62. Da die ersten Anfänge einer Ketzerei allemal als Meinungen einzelner auftreten, und die einer Spaltung als Verbrüderungen einzelner; eine neue partielle Kirchengemeinschaft aber auch nicht füglich anders, als ebenso, zuerst erscheinen kann: so müssen die Grundsätze der Polemik, wenn vollkommen ausgebildet, Mittel an die Hand geben, um schon an solchen ersten Elementen zu unterscheiden, ob sie in krankhafte Zustände ausgehen werden, oder ob sie den Keim zur Entwicklung eines neuen Gegensatzes in sich schließen.[1])

Wie überhaupt dieser Satz gleichlautend ist mit § 53, so ist auch hier dasselbe wie dort zu bemerken, in Bezug nämlich auf solche Toleranz gegen das Krankhafte einerseits, und andererseits auf Beantwortung der billigen Freiheit für dasjenige, was sich neu zu differentiieren im Begriff steht.

Schlußbetrachtungen
über die philosophische Theologie.

§ 63. Beide Disziplinen, Apologetik und Polemik, wie sie sich gegenseitig ausschließen, bedingen sich auch gegenseitig.[2])

[1]) S. 21. § 9. Das dem Wesen des Christentums Widerstreitende muß sich auch kundtun durch seine Entstehungsart (I. Einl. 5—7), und die Prinzipien der Polemik müssen streben, diese zu bestimmen.

§ 10. Die ersten erscheinenden Elemente der Häresis sind Meinungen einzelner, die der Spaltung Konventikula. Die Prinzipien der Polemik müssen streben, das Krankhafte auch schon an diesen zu erkennen.

§ 11. Eine neue Kirchenpartei erscheint zuerst ebenso. Jede Kraft also, welche einen Unterschied zwischen Partei und Schisma anerkennt, muß bestrebt sein, ihn in den ersten Elementen erkennbar zu bestimmen.

[2]) S. 22. § 1. Die Prinzipien der Apologetik und Polemik bedingen sich gegenseitig, wie ihre Gebiete sich ausschließen.

Sie schließen sich aus durch ihren entgegengesetzten Inhalt (vgl. § 39 und 40) und durch ihre entgegengesetzte Richtung (vgl. § 41). Sie bedingen sich gegenseitig, weil Krankhaftes in der Kirche nur erkannt werden kann in Bezug auf eine bestimmte Vorstellung von dem eigentümlichen Wesen des Christentums, und weil zugleich bei den Untersuchungen, durch welche diese Vorstellung begründet wird, auch die krankhaften Erscheinungen vorläufig mit unter das Gegebene aufgenommen werden müssen, welches bei dem kritischen Verfahren zum Grunde gelegt werden muß.

§ 64. Beide Disziplinen können daher nur durcheinander und miteinander zu vollkommener Entwicklung gelangen.

Eben deshalb nur durch Annäherung und nur nach mancherlei Umgestaltungen. Vgl. § 51, indem das dort Gesagte auch für die Polemik gilt.

§ 65. Die philosophische Theologie setzt zwar den Stoff der historischen als bekannt voraus, begründet aber selbst erst die eigentlich geschichtliche Anschauung des Christentums.[1]

Jener Stoff ist das Gegebene (vgl. § 32), welches sowohl den Untersuchungen über das eigentümliche Wesen des Christentums, als auch denen über den Gegensatz des Gesunden und Krankhaften (vgl. § 35) zum Grunde liegt. Das Resultat dieser Untersuchungen bestimmt aber erst den Entwicklungswert der einzelnen Momente, mithin die geschichtliche Anschauung des ganzen Verlaufs.

§ 66. Die philosophische Theologie und die praktische stehen auf der einen Seite gemeinschaftlich der historischen gegenüber, auf der andern Seite aber auch eine der andern.[2]

Jenes, weil die beiden ersten unmittelbar auf die Ausübung gerichtet sind, die historische Theologie aber rein auf die Betrachtung. Denn

---

[1] S. 22. § 2. Die philosophische Theologie setzt das Material der historischen voraus, begründet aber selbst das Urteil über das einzelne und also die gesamte geschichtliche Anschauung des Christentums.

[2] § 3. Der philosophische Teil der Theologie und der praktische stehen zusammen dem historischen entgegen, weil sie beide unmittelbar auf Ausübung gerichtet sind, jener aber nur auf Betrachtung. Sie stehen einander selbst entgegen als erstes und letztes, indem durch jenen erst der Gegenstand für diesen fixiert wird, und indem jener sich an die höchste wissenschaftliche Konstruktion anschließt, dieser das Besonderste der Technik in sich faßt.

wenngleich Apologetik und Polemik allerdings Theorien sind, von denen man apologetische und polemische Leistungen wohl zu unterscheiden hat: so vollenden sie doch erst in diesen ihre Bestimmung, und werden nur um dieser willen aufgestellt. — Beide aber stehen einander gegenüber, teils als Erstes und Letztes, indem die philosophische Theologie erst den Gegenstand fixiert, den die praktische zu behandeln hat, teils weil die philosophische sich an rein wissenschaftliche Konstruktionen anschließt, die praktische hingegen in das Gebiet des Besonderen und Einzelnen als Technik eingreift.

§ 67. Da die philosophische Theologie eines jeden wesentlich die Prinzipien seiner gesamten theologischen Denkungsart in sich schließt: so muß auch jeder Theologe sie ganz für sich selbst produzieren.[1])

Hiedurch soll keinesweges irgend einem Theologen benommen werden, sich zu einer von einem anderen herrührenden Darstellung der philosophischen Theologie zu bekennen; nur muß sie von Grund aus als klare und feste Überzeugung angeeignet sein. Vornehmlich aber wird gefordert, daß die philosophische Theologie in jedem ganz und vollständig sei, ohne für diesen Teil den in §§ 14—17 gemachten Unterschied zu berücksichtigen; weil nämlich hier alles grundsätzlich ist, und jedes auf das genaueste mit allem zusammenhängt. Daß aber alle theologischen Prinzipien in diesem Teile des Ganzen ihren Ort haben, geht aus § 65 und 66 unmittelbar hervor.

§ 68. Beide Disziplinen der philosophischen Theologie sehen ihrer Ausbildung noch entgegen.[2])

Die Tatsache begreift sich zum Teil schon aus den hier aufgestellten Verhältnissen. Teils auch bezog man einerseits die Apologetik zu genau und ausschließend auf die eigentlich apologetischen Leistungen, zu denen sich die Veranlassungen nur von Zeit zu Zeit ergaben, wogegen die hierher gehörigen Sätze nicht ohne bedeutenden Nachteil für die klare Übersicht des ganzen Studiums in den Einleitungen zur

---

[1]) S. 22. § 4. Da der philosophische Teil die beiden andern bedingt, selbst aber nichts enthält, was jemand nur von andern überkommen könnte: so gibt es in ihm nicht Allgemeines und Besonderes zu trennen, sondern jeder muß ihn ganz besitzen und selbst für sich erzeugt haben.

S. 23. § 5. Die philosophische Theologie eines jeden enthält die gesamten Prinzipien seiner theologischen Denkungsart.

[2]) § 6. Es ist natürlich, daß sie eben deshalb nicht leicht zu einer förmlichen theologischen Disziplin wird ausgebildet werden.

Dogmatik ihren Ort fanden. Erst in der neuesten Zeit hat man angefangen, sie in ihrer allgemeineren Abzweckung und ihrem wahren Umfange nach wieder besonders zu bearbeiten. Die Polemik andererseits hatte, vorzüglich weil man ihre Richtung verkannte, schon seit geraumer Zeit aufgehört, als theologische Disziplin bearbeitet und überliefert zu werden.

Zweiter Teil.

Von der historischen Theologie.

Einleitung.

§ 69. Die historische Theologie (vgl. § 26) ist ihrem Inhalte nach ein Teil der neueren Geschichtskunde; und als solchem sind ihr alle natürlichen Glieder dieser Wissenschaft koordiniert.[1])

Sie gehört vorläufig der innern Seite der Geschichtskunde, der neueren Bildungs- und Sittengeschichte an, in welcher das Christentum offenbar eine eigene Entwicklung eingeleitet hat. Denn dasselbe nur als eine reine Quelle von Verkehrtheiten und Rückschritten darstellen, ist eine veraltete Ansicht.

§ 70. Als theologische Disziplin ist die geschichtliche Kenntnis des Christentums zunächst die unnachläßliche Bedingung alles besonnenen Einwirkens auf die weitere Fortbildung desselben, und in diesem Zusammenhange sind ihr dann die übrigen Teile der Geschichtskunde nur dienend untergeordnet.[2])

---

[1]) S. 24. § 1. Ihrem Inhalt nach ist die historische Theologie ein Teil der neueren Geschichte, vorzüglich der Sitten- und Bildungsgeschichte, und allen übrigen natürlichen Gliedern derselben koordiniert.

[§ 2 siehe zu § 86 der zweiten Auflage.]

[2]) § 3. Als theologische Disziplin ist die geschichtliche Kenntnis des Christentums zunächst die unnachläßliche Bedingung alles besonnenen

Hieraus ergibt sich schon, wie verschieden das Studium und die Behandlungsweise derselben Masse von Tatsachen ausfallen, wenn sie ihren Ort in unserer theologischen Disziplin haben, und wenn in der allgemeinen Geschichtskunde, ohne daß jedoch die Grundsätze der geschichtlichen Forschung aufhörten, für beide Gebiete dieselben zu sein.

§ 71. Was in einem geschichtlichen Gebiet als einzelner Moment hervortritt, kann entweder als plötzliches Entstehen angesehen werden, oder als allmähliche Entwicklung und weitere Fortbildung.[1])

In dem Gebiete des einzelnen Lebens ist jeder Anfang ein plötzliches Entstehen, von da an aber alles andere nur Entwicklung. Auf dem eigentlich geschichtlichen Gebiet aber, dem des gemeinsamen Lebens, ist beides einander nicht streng entgegengesetzt, und nur des Mehr und Minder wegen wird der eine Moment auf diese, der andere auf die entgegengesetzte Weise betrachtet.[2])

§ 72. Der Gesamtverlauf eines jeden geschichtlichen Ganzen ist ein mannigfaltiger Wechsel von Momenten beiderlei Art.[3])

Nicht als ob es an und für sich unmöglich wäre, daß ein ganzer Verlauf als fortgehende Entwicklung von einem Anfangspunkte aus angesehen werden könnte. Allein wir dürfen nur entweder die Kraft selbst auch als ein Mannigfaltiges ansehen können, dessen Elemente nicht alle gleichzeitig zur Erscheinung kommen, oder wir dürfen nur in der Entwicklung selbst Differenzen schnellerer und langsamerer Fortschreitung wahrnehmen können, und nicht leicht wird eines von beiden fehlen: so sind wir schon genötigt, Zwischenpunkte von dem entgegengesetzten Charakter anzunehmen.

Einwirkens auf die Fortbildung desselben, und die übrigen Teile desselben Geschichtsgebietes sind ihr nur subsidiarisch untergeordnet. Als Hilfswissenschaft eignet sie sich vorzüglich an, was zum Verständnis ihrer Dokumente gehört.

[1]) S. 25. § 4. Alles, was als ein einzelnes im Gebiet der Geschichte hervortritt, kann angesehen werden entweder als plötzliches Entstehen oder als allmähliche Fortbildung und Entwickelung.

[2]) § 5. Beide Ansichten sind aber einander nur relativ entgegengesetzt, so daß jeder Zustand nur ein Übergewicht ist des einen von beiden über das andere.

[3]) § 6. Der Verlauf eines geschichtlichen Ganzen ist ein vielfacher Wechsel beider Zustände.

§ 73. Eine Reihe von Momenten, in denen ununterbrochen die ruhige Fortbildung überwiegt, stellt einen geordneten Zustand dar und bildet eine geschichtliche Periode; eine Reihe von solchen, in denen das plötzliche Entstehen überwiegt, stellt eine zerstörende Umkehrung der Verhältnisse dar und bildet eine geschichtliche Epoche.[1])

Je länger der letztere Zustand dauerte, um desto weniger würde die Selbigkeit des Gegenstandes festgehalten werden können, weil aller Gegensatz zwischen Bleibendem und Wechselndem aufhört. Daher je länger der Gegenstand als einer und derselbe feststeht, um desto mehr überwiegen die Zustände der ersten Art.

§ 74. Jedes geschichtliche Ganze läßt sich nicht nur als Einheit betrachten, sondern auch als ein Zusammengesetztes, dessen verschiedene Elemente, wenngleich nur in untergeordnetem Sinn und in fortwährender Beziehung aufeinander, jedes seinen eignen Verlauf haben.

Solche Unterscheidungen bieten sich überall unter irgend einer Form dar; und sie werden mit desto größerem Recht hervorgehoben, je mehr der eine Teil zu ruhen scheint, während der andere sich bewegt, und also beide relativ unabhängig voneinander erscheinen.

§ 75. Es gibt daher, um das unendliche Materiale eines geschichtlichen Verlaufs zu übersichtlicher Anschaulichkeit zusammenzufassen, ein zwiefaches Verfahren. Entweder man teilt den ganzen Verlauf nach Maßgabe der sich ergebenden revolutionären Zwischenpunkte in mehrere Perioden, und faßt in jeder alles, was sich an dem Gegenstande begeben hat, zusammen; oder man teilt den Gegenstand der Breite nach, sodaß sich mehrere parallele Reihen ergeben, und verfolgt den Verlauf einer jeden besonders durch die ganze Zeitlänge.[2])

---

[1]) S. 25. § 7. Ein Zeitraum, in welchem das ruhige Fortbilden überwiegt, stellt einen gesetzmäßigen Zustand dar und bildet eine geschichtliche Periode. Ein solcher, in welchem das plötzliche Entstehen überwiegt, stellt einen Wechsel oder Umkehrung der Verhältnisse, eine Revolution dar, und bildet eine geschichtliche Epoche.

[§§ 8—10 siehe zu §§ 78—80 der zweiten Auflage.]

[2]) S. 26. § 11. Um das unendlich mannigfache Materiale der Geschichte

Natürlich lassen sich auch beide Einteilungen verbinden, indem man die eine der andern unterordnet, sodaß entweder jede Periode in parallele Reihen geteilt, oder jede Hauptreihe für sich wieder in Perioden zerschnitten wird. Das darstellende Verfahren ist desto unvollkommener, je mehr bei diesen Einteilungen willkürlich verfahren wird, oder je mehr man dabei wenigstens nur Äußerlichkeiten zum Grunde legt.

§ 76. Ein geschichtlicher Gegenstand postuliert überwiegend die erste Teilungsart, je weniger unabhängig voneinander seine verschiedenen Glieder sich fortbilden, und je stärker dabei revolutionäre Entwicklungsknoten hervorragen; und wenn umgekehrt, dann die andere.[1])

Denn in letzterem Falle ist eine ursprüngliche Gliederung vorherrschend, im ersten eine starke Differenz im Charakter verschiedener Zeiten.

§ 77. Je stärker in einem geschichtlichen Verlauf der Gegensatz zwischen Perioden und Epochen hervortritt, um desto schwieriger ist es in Darstellung der letzteren, aber desto leichter in der der ersteren, die verschiedenen Elemente (§ 74) voneinander zu sondern.[2])

Denn in Zeiten der Umbildung ist alle Wechselwirkung lebendiger und alles einzelne abhängiger von einem gemeinsamen Impuls; wogegen der ruhige Verlauf das Hervortreten der Gliederung begünstigt.

§ 78. Da nicht nur im allgemeinen der Gesamtverlauf aller menschlichen Dinge, sondern auch in diesem die ganze Folge von Äußerungen einer und derselben Kraft Ein Ganzes

---

zur Anschaulichkeit zusammenzufassen, gibt es ein zwiefaches Verfahren. Man teilt die Zeit und faßt alles zusammen, was in einer gewissen Zeiteinheit geschehen ist, oder man teilt den Inhalt und faßt alles zusammen, was in der gesamten Zeit je einen einzelnen Teil betrifft.

[1]) S. 27. § 12. In dem Gegenstand selbst ist das erste immer gegeben durch die Umkehrung der inneren Verhältnisse, woraus die Epochen sich bilden, und das letzte durch die Art, wie die Kraft selbst, deren Äußerungen betrachtet werden, sich darin ursprünglich teilt und gliedert.

[2]) § 13. Während des ruhigen Fortschreitens lassen sich die koexistierenden organischen Teile des Ganzen leichter gesondert in ihrer relativen Selbständigkeit betrachten; in Zeiten der Umbildung hingegen ist alle Wechselwirkung lebendiger und jedes einzelne abhängiger von dem gemeinsamen Zustande. Daher eignet sich die eine Darstellungsart im allgemeinen mehr für die Perioden, die andere für die Epochen.

bildet: so kann jedes Hervortreten eines kleineren geschichtlichen Ganzen auf zwiefache Weise angesehen werden, einmal als Entstehen eines Neuen, noch nicht Dagewesenen, dann aber auch als Ausbildung eines schon irgenwie Vorhandenen.[1])

Dies erhellt schon aus § 71. Was während des Zeitverlaufs in Bezug auf alles schon neben ihm Fortlaufende allerdings als ein Neues zu betrachten ist, kann doch mit irgend einem früheren Moment auf genauere Weise, als mit allen übrigen zusammengehören.

§ 79. So kann auch der Verlauf des Christentums auf der einen Seite behandelt werden als eine einzelne Periode eines Zweiges der religiösen Entwicklung; dann aber auch als ein besonder[e]s geschichtliches Ganzes, das als ein Neues entsteht, und abgeschlossen für sich in einer Reihe durch Epochen getrennter Perioden verläuft.[2])

Daß hier ausdrücklich nur von einem Zweige der religiösen Entwicklung die Rede ist, geht auf § 74 zurück. Wie man die große Mannigfaltigkeit religiöser Gestaltungen auch gruppiere, immer werden einige auch zum Christentum ein solches näheres Verhältnis haben, daß sie eine Gruppe mit demselben bilden können.

§ 80. Die historische Theologie, wie sie sich als theologische Disziplin ganz auf das Christentum bezieht, kann sich nur die letzte Behandlungsweise aneignen.[3])

Man vergleiche §§ 69 und 70. Außerdem aber könnte der christliche Glaube nicht sein, was er ist, wenn die Grundtatsache desselben nicht ausschließend als ein Ursprüngliches gesetzt wird.

---

[1]) S. 26. § 8. Da die Geschichte überhaupt, und so auch besonders die ganze Folge von Tätigkeiten Einer Kraft nur Ein Ganzes bildet: so kann jeder erste Zustand eines kleineren geschichtlichen Ganzen zwiefach angesehen werden, als Entstehen eines Neuen, und als Ausbildung eines schon Dagewesenen.

[2]) § 9. Die Geschichte des Christentums läßt sich ansehen als eine einzelne Periode in der Religionsgeschichte überhaupt. Aber es läßt sich auch ansehn als ein eignes geschichtliches Ganzes, sein Anfang als eine Entstehung, und sein ganzer Verlauf als eine Reihe durch Epochen getrennter Perioden.

[3]) § 10. Die historische Theologie, als mit ihrem ganzen Zweck innerhalb des Christentums stehend, faßt die letztere Ansicht auf.

§ 81. Von dem konstitutiven Prinzip der Theologie aus den geschichtlichen Stoff des Christentums betrachtet, steht in dem unmittelbarsten Bezug auf die Kirchenleitung die geschichtliche Kenntnis des gegenwärtigen Momentes, als aus welchem der künftige soll entwickelt werden. Diese mithin bildet einen besonderen Teil der historischen Theologie.[1])

Um richtig und angemessen sowohl auf Gesundes und Krankes einzuwirken, als auch zurückgebliebene Glieder nachzufördern, und um aus fremden Gebieten Anwendbares für das eigene zu benutzen.

§ 82. Da aber die Gegenwart nur verstanden werden kann als Ergebnis der Vergangenheit: so ist die Kenntnis des gesamten früheren Verlaufs ein zweiter Teil der historischen Theologie.[2])

Dies ist nicht so zu verstehen, als ob dieser Teil etwa eine Hilfswissenschaft wäre für jenen ersten; sondern beide verhalten sich auf dieselbe Weise zur Kirchenleitung, und sind einander nicht untergeordnet, sondern beigeordnet.

§ 83. Je mehr ein geschichtlicher Verlauf in der Verbreitung begriffen ist, sodaß die innere Lebenseinheit je weiter hin, desto mehr nur im Zusammenstoß mit andern Kräften erscheint: um desto mehr haben diese auch teil an den einzelnen Zuständen; sodaß nur in den frühesten das eigentümliche Wesen am reinsten zur Anschauung kommt.[3])

Auch das gilt ebenso von allen verwandten geschichtlichen Erscheinungen,

---

[1]) S. 27. § 14. Für das organische Prinzip der Theologie ist das Unmittelbarste die Kenntnis des gegenwärtigen Momentes, an welchen der künftige soll geknüpft werden. Diese wird also auch besonders herausgehoben.

[2]) S. 28. § 15. Da aber die Gegenwart nur kann verstanden werden als Resultat der Vergangenheit: so setzt jene Darstellung die Kenntnis von dieser voraus.

[3]) § 16. Da jeder geschichtliche Verlauf die weitere Entwicklung einer Kraft darstellt in ihrem Zusammensein mit andern: so wächst mit der Zeit auch die Einwirkung von diesen, und es wird schwieriger, die ursprüngliche Kraft in der Äußerung rein anzuschauen.

§ 17. Aus demselben Grunde erscheint diese Kraft am reinsten in ihren frühesten Äußerungen.

und ist der eigentliche Grund, warum so viele Völker mißverständlich die früheste Periode des Lebens der Menschheit als die Zeit der höchsten Vollkommenheit ansehen.

§ 84. Da nun auch das christliche Leben immer zusammengesetzter und verwickelter geworden ist, der letzte Zweck seiner Theologie aber darin besteht, das eigentümliche Wesen desselben in jedem künftigen Augenblick reiner darzustellen: so hebt sich natürlich die Kenntnis des Urchristentums als ein dritter besonderer Teil der historischen Theologie hervor.[1])

Allerdings ist auch das Urchristentum schon in dem Gesamtverlauf mit enthalten; allein ein anderes ist, es als eine Reihe von Momenten zu behandeln, und ein anderes, nur dasjenige zur Betrachtung zu ziehen, auch aus verschiedenen Momenten, woraus der reine Begriff des Christentums dargestellt werden kann.

§ 85. Die historische Theologie ist in diesen drei Teilen, Kenntnis des Urchristentums, Kenntnis von dem Gesamtverlauf des Christentums, und Kenntnis von seinem Zustand in dem gegenwärtigen Augenblick, vollkommen beschlossen.[2])

Nur ist nicht die Ordnung, in welcher wir sie abgeleitet haben, auch die richtige für das Studium selbst. Sondern die Kenntnis des Urchristentums als zunächst der philosophischen Theologie sich anschließend, ist das erste, und die Kenntnis des gegenwärtigen Augenblicks, als unmittelbar den Übergang in die praktische Theologie bildend, ist das letzte.[3])

§ 86. Wie für jeden Teil der Geschichtskunde alles

---

[1]) S. 28. § 18. Da es der letzte Zweck aller Theologie ist, das Wesen des Christentums in jedem künftigen Augenblick reiner darzustellen: so muß sie auch dasjenige, worin es am reinsten anzuschauen ist, besonders herausheben.

[2]) § 19. Die historische Theologie teilt sich demnach in die Kenntnis von dem Anfang des Christentums, in die Kenntnis von seinem weiteren Verlauf und in die Kenntnis von seinem Zustand in dem gegenwärtigen Augenblick.

[3]) S. 31. § 29. Die Kenntnis des gegenwärtigen Augenblicks ist, da sie sich zunächst an die Ausübung anknüpft, unter allen Teilen der historischen Theologie für das Studium der letzte. [Vgl. S. 30 (38 dieser Ausg.) § 24.]

Hilfswissenschaft ist, was die Kenntnis des Schauplatzes und der äußeren Verhältnisse des Gegenstandes erleichtert, und was zum Verstehen der Monumente aller Art gehört: so zieht auch die historische Theologie zunächst die übrigen Teile desselben Geschichtsgebietes (vgl. § 40), dann aber noch alles, was zum Verständnis der Dokumente gehört, als Hilfswissenschaft herbei.[1])

Diese Hilfskenntnisse sind mithin teils historisch im engeren Sinn, teils geographisch, teils philologisch.

§ 87. Das Urchristentum ist in Bezug auf jene normale Behandlung desselben gegen den weiteren geschichtlichen Verlauf nicht füglich anders abzugrenzen, als daß unter jenem der Zeitraum verstanden wird, worin Lehre und Gemeinschaft in ihrer Beziehung aufeinander erst wurden, und noch nicht in ihrer Abschließung schon waren.[2])

Auch diese Bestimmung jedoch könnte leicht zu weit ausgedehnt werden, weil Lehre und Gemeinschaft in Bezug aufeinander immer im Werden begriffen bleiben; und eine feste Grenze entsteht zunächst nur, wenn man jede Zeit ausschließt, in der es schon Differenz der Gemeinschaft um einer Differenz der Lehre willen gab. Aber auch zu enge Schranken könnte man unserer Bestimmung geben, wenn man davon ausgeht, daß schon seit dem Pfingsttage eine abgeschlossene Gemeinschaft bestand; und eine angemessene Erweiterung entsteht nur, wenn man bevorwortet, die eigentlich christliche Gemeinschaft sei erst abgeschlossen worden, als mit Bewußtsein und allgemeiner Anerkennung Juden und Heiden in derselben vereint waren, und Ähnliches gilt auch von der

---

[1]) S. 24. § 2. Für jede Geschichte ist alles Hilfswissenschaft, was die Kenntnis des Schauplatzes und der äußeren Verhältnisse des Gegenstandes erleichtert oder zum Verstehen der Monumente nötig ist.

[2]) S. 29. § 20. Wenn der Gegenstand der historischen Theologie organisch geteilt (11. 12) werden soll: so sondern sich zunächst Lehrbegriff und Kirchenverfassung (I. Erst. Abschn. 3 [S. 21 dieser Ausg.]).

§ 21. Das entstehende Christentum, Urchristentum, umfaßt nur die Zeit, wo beide erst wurden, also nicht abgesondert von einander schon waren.

§ 22. Wird es noch besonders der theologischen Idee gemäß als reinster Repräsentant des christlichen Prinzips (17. 18) angesehen: so kann die Betrachtung nicht nach jenen Teilen zerfallen; sondern nur, wenn man es als einen frühern Moment, gleichartig mit den folgenden, betrachtet.

Lehre. So treffen beide Bestimmungen ziemlich zusammen mit der mehr äußerlichen des Zeitalters der unmittelbaren Schüler Christi.

§ 88. Da die für den angegebenen Zweck auszusondernde Kenntnis des Urchristentums nur aus den christlichen Dokumenten, die in diesem Zeitraum der christlichen Kirche entstanden sind, kann gewonnen werden, und ganz auf dem richtigen Verständnis dieser Schriften beruht: so führt diese Abteilung der historischen Theologie auch insbesondere den Namen der exegetischen Theologie.[1])

Da auch in den andern beiden Abteilungen das Meiste auf Auslegung beruht: so ist die Benennung allerdings willkürlich, aber doch wegen des eigentümlichen Wertes dieser Schriften leicht zu rechtfertigen.

§ 89. Da wegen des genauen Zusammenhanges mit der philosophischen Theologie, als dem Ort aller Prinzipien, jeder seine Auslegung selbst bilden muß: so gibt es auch hier nur weniges, was man sich von den Virtuosen (vgl. §§ 17 und 19) kann geben lassen.[2])

Vorzüglich nur dasjenige, was zur Auslegung aus den Hilfswissenschaften herbeigezogen werden muß.

§ 90. Die Kenntnis von dem weiteren Verlauf des Christentums kann entweder als Ein Ganzes aufgestellt werden, oder auch geteilt in die Geschichte des Lehrbegriffs und in die Geschichte der Gemeinschaft.[3])

---

[1]) S. 29. § 23. Die für jenen Zweck ausgesonderte Kenntnis des Urchristentums ist in den wenigen schriftlichen Dokumenten enthalten, welche den Kanon bilden, und beruht vornehmlich auf deren richtigem Verständnis. Daher der Namen: exegetische Theologie.

[2]) S. 30. § 24. Die exegetische Theologie reiht sich zunächst an die philosophische an und ist unter allen Teilen der historischen Theologie für das Studium der erste. [Vgl. § 85 Anm. der zweiten Auflage.]

§ 25. Ihrer Natur nach hat der Unterschied des Allgemeinen und Besonderen (Einl. 20) in ihr den kleinsten Spielraum.

[3]) § 26 [= § 92 der zweiten Auflage]. Die Darstellung von dem weitern Verlauf des Christentums, oder die eigentliche Geschichte desselben, enthält eine Unendlichkeit von Einzelheiten. Daher ist in ihr der Gegensatz zwischen dem Allgemeinen und Besondern am größesten.

§ 27. Der Breite nach sondert sie sich in die Geschichte des Lehrbegriffs und die Geschichte der Verfassung (20).

Weil nämlich die Geschichte des Lehrbegriffs nichts anderes ist, als die Entwicklung der religiösen Vorstellungen der Gemeinschaft. Sowohl die Vereinigung von beiden, als auch die Geschichte der Gemeinschaft besonders dargestellt, führt den Namen Kirchengeschichte; so wie die des Lehrbegriffs besonders den Namen Dogmengeschichte.

§ 91. Sowohl beide Zweige zusammen, als auch jeder für sich allein, stellen, der Länge nach betrachtet, einen ununterbrochenen Fluß dar, in welchem jedoch vermittelst der Begriffe von Perioden und Epochen (vgl. § 73) Entwicklungsknoten gefunden werden können, um die Unterschiede zu fixieren zwischen solchen Punkten, welche durch eine Epoche geschieden sind, und also verschiedenen Perioden angehören, sowie auch zwischen solchen, die zwar innerhalb derselben zwei Epochen liegen, so jedoch, daß der eine mehr das Ergebnis der ersten enthält, der andere mehr als eine Vorbereitung der zweiten erscheint.[1])

Denkt man sich dazwischen noch Punkte, welche in einer Periode das Größte der Entwicklung ihrer Anfangsepoche enthalten, aber noch den Nullpunkt der Schlußepoche darstellen: so gibt dieses, durch beide Zweige und durch alle Perioden durchgeführt, ein Netz der wertvollsten Momente.

§ 92. Da der Gesamtverlauf des Christentums eine Unendlichkeit von Einzelheiten darbietet: so ist hier am meisten Spielraum für den Unterschied zwischen dem Gemeinbesitz und dem Besitz der Virtuosen.[2])

Jenes Netz bis zu einem Analogon von Stetigkeit im Umriß vollzogen, ist das Minimum, welches jeder besitzen muß; die Erforschung und Ausführung des einzelnen ist, auch unter viele verteilt, ein unerschöpfliches Gebiet.

---

[1]) S. 30. § 28. Der Länge nach stellt jede von diesen einen ununterbrochenen Fluß dar, in welchem sich nur nach den Begriffen von Perioden und Epochen (7) feste Punkte bilden, an denen man die Unterschiede fixieren kann zwischen mehreren Punkten, die durch Epochen geschieden sind, und zwischen mehreren, die zwar zu Einer Periode gehören, aber so, daß der eine mehr das Resultat der vorhergegangenen Epoche darstellt, der andere mehr die folgende vorbereitete.

[§ 29 siehe zu § 81 der zweiten Auflage, Anm.]

[2]) Siehe § 26.

§ 93. Nicht jeder Moment eignet sich gleich gut dazu, als ein in sich zusammenhangendes Ganze dargestellt zu werden; sondern am meisten der Kulminationspunkt einer Periode, am wenigsten ein Punkt während einer Epoche oder in der Nähe derselben.[1])

Während einer Umkehrung kann immer nur einzelnes abgesondert, und nicht leicht anders, als in der Form des Streites zur Erörterung kommen. Nahe an einer Epoche kann zwar das Bedürfnis einer zusammenhangenden Darstellung sich schon regen, die Versuche können aber nicht anders, als unvollständig ausfallen. Dies zeigt sich auch, sowohl in den ersten Anfängen der Kirche nach der apostolischen Zeit, als auch bei uns in den ersten Zeiten der Reformation.

§ 94. In solchen Zeiten, wo der Aufgabe genügt werden kann, sondert sich dann von selbst Darstellung der Lehre und Darstellung des gesellschaftlichen Zustandes.[2])

Denn wenn sich auch dasselbe eigentümliche Wesen der Kirche oder einer partiellen Kirchengemeinschaft in beiden ausspricht: so hangen doch beide von zu verschiedenen Koeffizienten ab, als daß nicht ihre Veränderungen und also auch der momentane Zustand beider ziemlich unabhängig voneinander sein sollte.

§ 95. Die Darstellung des gesellschaftlichen Zustandes der Kirche in einem gegebenen Moment ist die Aufgabe der kirchlichen Statistik.[3])

Erst seit kurzem*) ist dieser Gegenstand in gehöriger Anordnung diszi-

---

[1]) S. 31. § 30. Je mehr ein Moment von einer Revolution entfernt ist und das Resultat der vorhergehenden Epoche in seiner Vollendung enthält, um desto leichter sondern sich auch in seiner Darstellung Lehrbegriff und Verfassung. Auch erhellt durch diese Sonderung desto besser, inwiefern beide denselben Charakter ausdrücken.

[2]) § 31. Je mehr er noch in eine Epoche verwebt ist, um desto weniger vermag er für sich, sondern nur im ganzen Zusammenhang mit dieser dargestellt zu werden.

[3]) Siehe § 33.

*) Schl. denkt wohl an das grundlegende Werk des Göttinger Theologen C. F. Stäudlin, Kirchliche Geographie und Statistik, 2 Teile, Tüb. 1804. Er selbst hat, nach den Angaben des Berliner Lektionskataloges, Kirchliche (Geographie und) Statistik 5-stündig, im Winter 1826/27, Sommer 1827 und Winter 1833/34 gelesen.

plinarisch behandelt worden, daher auch, sowohl was Stoff, als was Form betrifft, noch vieles zu leisten übrig ist.

§ 96. Die Aufgabe bleibt, auch wenn eine Trennung obwaltet, für alle einzelnen Kirchengemeinschaften doch wesentlich dieselbe.

Jede wird dann freilich ein besonderes Interesse haben, ihren eignen Zustand auf das genaueste zu kennen, und insofern wird eine Ungleichheit eintreten, die aber auch eintritt, wenn die Kirche ungeteilt ist. Es kann aber nur großen Nachteil bringen, wenn die Lenkenden einer einzelnen Kirchengemeinschaft nicht mit dem Zustande des andern der Wahrheit nach bekannt sind.

§ 97. Die zusammenhängende Darstellung der Lehre, wie sie zu einer gegebenen Zeit, sei es nun in der Kirche im allgemeinen, wann nämlich keine Trennung obwaltet, sonst aber in einer einzelnen Kirchenpartei, geltend ist, bezeichnen wir durch den Ausdruck Dogmatik oder dogmatische Theologie.[1])

Der Ausdruck Lehre ist hier in seinem ganzen Umfang genommen. Die Bezeichnung systematische Theologie, deren man sich für diesen Zweig immer noch häufig bedient, und welche mit Recht vorzüglich hervorhebt, daß die Lehre nicht soll als ein Aggregat von einzelnen Satzungen vorgetragen werden, sondern der Zusammenhang ins Licht gesetzt, verbirgt doch auf der anderen Seite zum Nachteil der Sache nicht nur den historischen Charakter der Disziplin, sondern auch die Abzweckung derselben auf die Kirchenleitung, woraus vielfältige Mißverständnisse entstehen müssen.

§ 98. In Zeiten, wo die Kirche geteilt ist, kann nur jede Partei selbst ihre Lehre dogmatisch behandeln.[2])

Weder wenn eine Theologie der einen Partei die Lehren anderer im Zusammenhang nebeneinander behandeln wollte, würde Unparteilichkeit und Gleichheit zu erreichen sein, da nur der eine Zusammenhang

---

[1]) S. 31. § 32. Die Darstellung des Lehrbegriffs einer Kirche oder Kirchenpartei in einem gegebenen Moment ist die Aufgabe der Dogmatik.

[2]) S. 32. § 33 [= § 95 der zweiten Auflage]. Die Darstellung der Verfassung der Kirche in einem gegebenen Moment ist die Aufgabe der kirchlichen Statistik.

§ 34 [= §§ 96 u. 98 der zweiten Auflage]. Die erste bleibt ihrer Natur nach mehr in den Grenzen einer Partei stehen, die andere verbreitet sich ihrer Natur nach mehr über das Ganze.

für ihn Wahrheit ist, der andere aber nicht; noch auch, wenn er nur die seinige zusammenhangend behandeln, und nur die Abweichungen der andern an gehöriger Stelle beibringen wollte, weil diese dann doch aus ihrem natürlichen Zusammenhang herausgerissen würden. Das erste geschieht dennoch, was die Hauptpunkte betrifft, unter dem Namen der Symbolik, das andere unter dem der komparativen Dogmatik.

§ 99. Beide Disziplinen, Statistik und Dogmatik, sind ebenfalls unendlich, und stehen also, was den Unterschied zwischen dem Gemeinbesitz und dem Gebiet der Virtuosität betrifft, der zweiten Abteilung gleich.[1])

Von der kirchlichen Statistik leuchtet dies ein. Aber auch im Gebiet der Dogmatik ist nicht nur jede einzelne Lehre fast ins Unendliche bestimmbar, sondern auch ihre Darstellung in Bezug auf abweichende Vorstellungsarten anderer Zeiten und Örter ist ein Unendliches.

§ 100. Jeder muß sich, sowohl was die Kenntnis des Gesamtverlaufs, als auch, was die des vorliegenden Momentes betrifft, seine geschichtliche Anschauung selbst bilden.[2])

Sonst würde auch die auf beiden gleichmäßig beruhende Tätigkeit in der Kirchenleitung keine selbsttätige sein.

§ 101. Müssen hiezu geschichtliche Darstellungen gebraucht werden, welche nie frei sein können von eigentümlichen Ansichten und Urteilen des Darstellenden: so muß auch jeder die Kunst besitzen, aus denselben das Materiale für seine eigene Bearbeitung möglichst rein auszuscheiden.[3])

Auch dieses gilt für die Dogmatik und Statistik nicht minder als für die Kirchengeschichte.

---

[1]) S. 32. § 35. Da man beide ebenfalls ins Unendliche vervollständigen kann: so stehn sie in Absicht des Gegensatzes zwischen dem Allgemeinen und Besondern der eigentlichen Kirchengeschichte gleich.

[2]) § 36. Die geschichtliche Anschauung muß überall selbst gebildet sein, weil sonst auch die darauf beruhende Tätigkeit in der Kirche keine selbständige sein würde.

[3]) § 37. Geschichtliche Darstellungen können nie frei sein von eigentümlichen Ansichten und Urteilen des Darstellenden. Soll also jemand vermittelst derselben sich seine eigene geschichtliche Anschauung bilden: so muß er durch Kritik imstande sein, das Materiale daraus für seine eigene Bearbeitung rein auszuscheiden.

§ 102. Historische Kritik ist, wie für das gesamte Gebiet der Geschichtskunde, so auch für die historische Theologie das allgemeine und unentbehrliche Organon.[1])

Sie steht als vermittelnde Kunstfertigkeit den materiellen Hilfswissenschaften gegenüber.

Erster Abschnitt.

Die exegetische Theologie.

§ 103. Nicht alle christliche Schriften aus dem Zeitraum des Urchristentums sind schon deshalb Gegenstände der exegetischen Theologie, sondern nur, sofern sie dafür gehalten werden, zu der ursprünglichen, mithin (vgl. § 83) für alle Zeiten normalen Darstellung des Christentums beitragen zu können.

Es liegt in der Natur der Sache und ist auch vollkommen tatsächlich begründet, daß es gleich anfangs auch unvollkommene, mithin zum Teil falsche Auffassung — also auch Darstellung — des eigentümlich christlichen Glaubens gegeben hat.

§ 104. Die Sammlung dieser das Normale in sich tragenden Schriften bildet den neutestamentischen Kanon der christlichen Kirche.[2])

Das richtige Verständnis von diesem ist mithin die einzige wesentliche Aufgabe der exegetischen Theologie, und die Sammlung selbst ihr einziger ursprünglicher Gegenstand.[3])

§ 105. In den neutestamentischen Kanon gehören wesent-

---

[1]) S. 32. § 38. Die historische Kritik ist die Vermittlerin alles wahren Aneignens auf dem Gebiet der Geschichte überhaupt, also auch der historischen Theologie.

[2]) S. 33. § 2. Die Idee des Kanon ist, daß er die Sammlung derjenigen Dokumente bildet, welche die ursprüngliche, absolut reine und deshalb für alle Zeiten normale Darstellung des Christentums enthalten.

[3]) § 1. Die exegetische Theologie als besondere Disziplin kann sich nur auf die Idee des Kanon beziehen.

[§§ 3 u. 4 siehe zu § 115 der zweiten Auflage, Anm.]

lich sowohl die normalen Dokumente von der Wirksamkeit Christi, an und mit seinen Jüngern, als auch die von der gemeinsamen Wirksamkeit seiner Jünger zur Begründung des Christentums.[2])

Dies ist auch schon der Sinn der alten Einteilung des Kanon in *εὐαγγέλιον* und *ἀπόστολος*. Einen Unterschied in Bezug auf kanonische Dignität zwischen diesen beiden Bestandteilen festzusetzen, ist an und für sich kein Grund vorhanden. Welches doch gewissermaßen der Fall sein würde, wenn man behauptete, beide verhielten sich zu einander, wie Entstehung und Fortbildung, noch mehr, wenn man der sich selbst überlassenen Wirksamkeit der Jünger die normale Dignität absprechen dürfte.[1])

§ 106. Da weder die Zeitgrenze des Urchristentums, noch das Personale desselben genau bestimmt werden kann: so kann auch die äußere Grenzbestimmung des Kanon nicht vollkommen fest sein.[3])

Für beides gemeinschaftlich, Zeit und Personen, ließe sich zwar eine feste Formel für das Kanonische aufstellen; sie würde aber doch zu keiner sicheren Unterscheidung über das Vorhandene führen, wegen der über die Persönlichkeit mehrerer einzelner Schriftsteller obwaltenden Ungewißheit.

§ 107. Diese Unsicherheit ist ein Schwanken der Grenze zwischen dem Gebiet der Schriften apostolischer Väter und dem Gebiet der kanonischen Schriften.[4])

Denn das Zeitalter der apostolischen Väter liegt zwischen dem, in wel-

---

[1]) S. 34. § 5. Da Entstehen und Fortbilden (II. Einl. 5) unmerklich in einander übergehn, und der Anfang auch als ein früherer Punkt in der Fortbildung und nach den Gesetzen dieser kann betrachtet werden: so muß die Erscheinung des Kanon, welche nur die Dokumente der Entstehungszeit enthalten kann, notwendig schwanken.

[2]) § 6. Er enthält wesentlich die Dokumente von dem Zusammensein Christi mit seinen Jüngern, und die von dem Zusammenwirken der Jünger zur Gründung des Christentums.

[3]) § 7. Durch das Zusammensein dieser beiden Teile im Kanon ist schon die Unzertrennlichkeit des Entstehens und der Fortbildung auch in Bezug auf diese Idee gesetzt.

[4]) S. 35. § 8. Die Zeit der apostolischen Väter liegt zwischen der, wo der Kanon wurde, und der, wo der Kanon war. Die Grenze zwischen ihnen und dem zweiten Teil des Kanon kann schwanken.

chem der Kanon erst anfing, zu werden, und dem, in welchem er schon abgesondert bestand. Und der Ausdruck ‚Apostolische Väter‘ ist hier in solchem Umfange zu verstehen, daß die Unsicherheit den ersten Teil des Kanon ebenso trifft, wie den zweiten.

§ 108. Da auch der Begriff der normalen Dignität nicht kann auf unwandelbar feste Formeln gebracht werden: so läßt sich auch aus innern Bestimmungsgründen der Kanon nicht vollkommen sicher umschreiben.

Wenn wir zum normalen Charakter der einzelnen Sätze auf der einen Seite die vollkommene Reinheit rechnen, auf der andern die Fülle der daraus zu entwickelnden Folgerungen und Anwendungen: so haben wir nicht Ursache, die erste anderswo, als nur in Christo schlechthin, anzunehmen, und müssen zugeben, daß auch auf die zweite bei allen andern die natürliche Unvollkommenheit hemmend einwirken konnte.

§ 109. Christliche Schriften aus der kanonischen Zeit, welchen wir die normale Dignität absprechen, bezeichnen wir durch den Ausdruck Apokryphen, und der Kanon ist also auch gegen diese nicht vollkommen fest begrenzt.[1])

Die meisten neutestamentischen Apokryphen führen diesen Namen freilich nur, weil sie dafür genommen wurden, oder dafür gelten wollten, der kanonischen Zeit anzugehören. Der Ausdruck selbst ist in dieser Bedeutung willkürlich, und würde besser mit einem andern vertauscht.

§ 110. Die protestantische Kirche muß Anspruch darauf machen, in der genaueren Bestimmung des Kanon noch immer begriffen zu sein; und dies ist die höchste exegetisch-theologische Aufgabe für die höhere Kritik.[2])

Der neutestamentische Kanon hat seine jetzige Gestalt erhalten durch, wenngleich nicht genau anzugebende, noch in einem einzelnen Akt nachzuweisende Entscheidung der Kirche, welcher wir ein über alle Prüfung erhobenes Ansehen nicht zugestehen, und daher berechtigt

---

[1]) S. 35. § 9. Die Apokryphen sind Schriften aus den Zeiten des Kanon, welche aber das christliche Prinzip nicht in seiner Reinheit darstellen sondern an irgendeine Ausartung grenzen. Der erste Teil des Kanon hat gegen sie natürlich nur eine unsichere Grenze.

[2]) § 10. Inwiefern der Kanon seiner Idee rein entsprechen soll, muß die Kirche noch immer im Bestimmen desselben begriffen sein, weil die vollständige Kongruenz nie mit Gewißheit zu erkennen ist.

sind, an das frühere Schwanken neue Untersuchungen anzuknüpfen. Die höchste Aufgabe ist diese, weil es wichtiger ist zu entscheiden, ob eine Schrift kanonisch ist oder nicht, als ob sie diesem oder einem andern Verfasser angehört, wobei sie immer noch kanonisch sein kann.

§ 111. Die Kritik hat beiderlei Untersuchungen anzustellen, ob nicht im Kanon Befindliches genau genommen unkanonisch, und ob nicht außer demselben Kanonisches unerkannt vorhanden sei.[1])

Noch neuerlich ist eine Untersuchung der letzten Art im Gange gewesen; die von der ersten haben eigentlich nie aufgehört.

§ 112. Beide Aufgaben gelten nicht nur für ganze Bücher, sondern auch für einzelne Abschnitte und Stellen derselben.[2])

Ein unkanonisches Buch kann neue kanonische Stellen enthalten; so wie das meiste, was einem kanonischen Buch von späterer Hand eingeschoben ist, Unkanonisches sein wird.

§ 113. Wie die höhere Kritik ihre Aufgabe großenteils nur durch Annäherung löset, und es keinen andern Maßstab gibt für die Tüchtigkeit eines Ausspruches, als die Kongruenz der innern und äußern Zeichen: so kommt es auch hier nur darauf an, wie bestimmt äußere Zeichen darauf hindeuten, daß ein fragliches Stück entweder dem späteren Zeitraum der apostolischen Väter oder dem vom Mittelpunkt der Kirche entfernten Gebiet der apokryphischen Behandlung angehöre, und innere darauf, daß es nicht in genauem Zusammenhang mit dem Wesentlichen der kanonischen Darstellung aufgefaßt und gedacht sei.[3])

---

[1]) S. 35. § 11. Er bleibt also insofern immer ein Gegenstand für beide Aufgaben der höheren Kritik, sowohl*) Unerkanntes zur Anerkennung zu bringen, als*) Verdächtiges auszustoßen.

[2]) S. 36. § 14. Nicht nur ganze Schriften sind in diesem Sinne der Gegenstand für die höhere Kritik, sondern auch einzelne Stellen.

[3]) S. 35. § 12. Wie es für die höhere Kritik in den meisten Fällen keine andere Gewißheit gibt, als eine Annäherung, die durch möglichstes Zusammentreffen der äußeren Kennzeichen und der innern erreicht wird: so könnte auch hier an äußeren Zeichen nur erkannt werden, daß etwas in die

---

*) erg. etwa: in Bezug darauf,

Solange noch beiderlei Zeichen gegeneinander streiten, oder in jeder Gattung einige auf dieser, andere aber auf jener Seite stehen, ist keine kritische Entscheidung möglich. — Daß hier unter dem Mittelpunkt der Kirche weder irgend eine Räumlichkeit, noch auch eine amtliche Würde zu verstehen sei, sondern nur die Vollkommenheit der Gesinnung und Einsicht, bedarf wohl keiner Erörterung.

§ 114. Die Kritik könnte beiderlei ausgemittelt und mit vollkommner Sicherheit, was kanonisch sei, und was nicht, neu und anders bestimmt haben, ohne daß deshalb notwendig wäre, den Kanon selbst anders einzurichten.[1])

Notwendig wäre es nicht, weil das Unkanonische doch als solches kann anerkannt werden, wenn es auch seine alte Stelle behält, und ebenso das erwiesen Kanonische, wenn es auch außerhalb des Kanon bliebe. Zulässig aber müßte es dann sein, den Kanon in zweierlei Gestalt zu haben, in der geschichtlich überlieferten und in der kritisch ausgemittelten.

§ 115. Dasselbe gilt von der Stellung der alttestamentischen Bücher in unserer Bibel.

Daß der jüdische Kodex keine normale Darstellung eigentümlich christlicher Glaubenssätze enthalte, wird wohl bald allgemein anerkannt sein. Deshalb aber ist nicht nötig — wiewohl es auch zulässig bleiben muß — von dem altkirchlichen Gebrauch abzuweichen, der das Alte Testament mit dem Neuen zu einem Ganzen als Bibel vereinigt.[2])

---

späteren Zeiten der apostolischen Väter oder in das vom Mittelpunkt der Kirche ferne Gebiet der apokryphischen Behandlungen fiele, und an inneren, daß es nicht im unmittelbaren Zusammenhang mit den wesentlichen und herrschenden Ansichten des Kanon gedacht wäre.

S. 36. § 13. Dasselbe gilt umgekehrt für den Fall, daß noch etwas in den Kanon Aufzunehmendes gefunden würde.

[1]) § 15. Sieht man den Kanon als etwas historisch Gegebenes an: so muß er bleiben, wie er ist. Der Gedanke ist nicht statthaft, daß die erste Kirche im wesentlichen falsch darüber sollte entschieden haben; und so wäre, selbst wenn es ausgemacht werden könnte, daß einzelne Schriften andere Verfasser haben, als denen sie beigelegt werden, dies kein Grund, sie zu entkanonisieren.

[§§ 16—37 siehe zu §§ 126ff. der zweiten Auflage.]

[2]) S. 33. § 3. Den jüdischen Kodex mit in den Kanon ziehen, heißt, das Christentum als eine Fortsetzung des Judentums ansehn, und streitet gegen die Idee des Kanon.

§ 116. Die Vervielfältigung der neutestamentischen Bücher aus ihren Urschriften mußte denselben Schicksalen unterworfen sein, wie die aller andern alten Schriften.[1])

Der Augenschein hat alle Vorurteile, welche hierüber ehedem geherrscht haben, längst schon zerstört.

§ 117. Auch die übergroße Menge und Verschiedenheit unserer Exemplare von den meisten dieser Bücher gewährt keine Sicherheit dagegen, daß nicht dennoch die ursprüngliche Schreibung an einzelnen Stellen kann verloren gegangen sein.[2])

Denn dieser Verlust kann sehr zeitig, ja schon bei der ersten Abschrift erfolgt sein, und zwar möglicherweise auch so, daß dies nicht wieder gut gemacht werden konnte.

§ 118. Die definitive Aufgabe der niederen Kritik, die ursprüngliche Schreibung überall möglichst genau und auf die überzeugendste Weise auszumitteln, ist auf dem Gebiet der exegetischen Theologie ganz dieselbe wie anderwärts.[3])

Die Ausdrücke niedere und höhere Kritik werden hier hergebrachtermaßen gebraucht, ohne weder ihre Angemessenheit rechtfertigen, noch ihre Abgrenzung gegeneinander genauer bestimmen zu wollen.[4])

§ 119. Der neutestamentische Kritiker hat also auch, so wie die Pflicht, denselben Regeln zu folgen, so auch das Recht auf den Gebrauch derselben Mittel.

S. 34. § 4. Die Kenntnis des jüdischen Kodex ist die allgemeine Hilfswissenschaft für die gesamte historische Theologie.

[1]) S. 42. § 40. Keine Vorstellungsart vom Kanon kann leugnen, daß der Text desselben den nämlichen Schicksalen müsse unterworfen sein, wie jede andere schriftliche Urkunde.

[2]) § 41. Die Möglichkeit, daß die ursprüngliche Schreibart könne verloren gegangen sein, ist beim Kanon nicht geringer, als bei jeder andern Schrift.

[3]) § 38. Alles, was er bedarf, ist dem Ausleger erst dann gegeben, wenn er auch einen berichtigten und zuverlässigen Text vor sich hat. Dies ist die Aufgabe der niedern Kritik.

[4]) § 39. Die Grenze zwischen dieser und der höhern ist schwer, und überall nicht nach der Größe des Gegenstandes, worauf es ankommt zu bestimmen.

Weder kann es daher verboten sein, im Fall der Not (vgl. § 117)*) Vermutungen zu wagen, noch kann es besondere Regeln geben, die nicht aus den gemeinsamen müßten abgeleitet werden können.

§ 120. In demselben Maß, als die Kritik ihre Aufgabe löst, muß sich auch eine genaue und zusammenhängende Geschichte des neutestamentischen Textes ergeben und umgekehrt, sodaß eines dem andern zur Probe und Gewährleistung dienet.[1])

Selbst was auf dem Wege der Vermutung Richtiges geleistet wird, muß sich auf Momente der Textgeschichte berufen können, und umgekehrt müssen auch wieder schlagende Verbesserungen die Geschichte des Textes erläutern.

§ 121. Für die theologische Abzweckung der Beschäftigung mit dem Kanon hat die Wiederherstellung des Ursprünglichen nur da unmittelbaren Wert, wo der normale Gehalt irgendwie beteiliget ist.[2])

Keinesweges aber soll dies etwa auf sogenannte dogmatische Stellen beschränkt werden, sondern sich auf alles erstrecken, was für solche auf irgend eine Weise als Parallele oder Erläuterung gebraucht werden kann.

§ 122. Dies begründet den, da die kritische Aufgabe ein Unendliches ist, hier notwendig aufzustellenden Unterschied zwischen dem, was von jedem Theologen zu fordern ist, und dem Gebiet der Virtuosität.[3])

Die Forderung gilt eigentlich nur für den protestantischen Theologen; denn der römisch-katholische hat streng genommen das Recht, zu verlangen, daß ihm die Vulgata, ohne daß eine kritische Aufgabe übrig bleibe, geliefert werde.

---

[1]) S. 43. § 46. Die nächste Aufgabe der Kritik ist die, eine möglichst richtige und genaue Geschichte des Textes zu liefern, welche aber auch noch nicht zustande gebracht ist.

[2]) § 43. Die vollkommene Wiederherstellung des Textes hat beim Kanon nicht denselben philologischen Wert, wie bei andern Schriftstellern.

§ 45. Rein theologisch betrachtet, haben nur diejenigen Varianten unmittelbare Wichtigkeit, welche irgendetwas zur ursprünglichen Darstellung des Christentums Gehöriges betreffen. Für den Kritiker sind alle wichtig, weil jede ein Beitrag zur Beurteilung seiner Quellen ist.

[3]) S. 42. § 42. Die Aufgabe der Kritik in ihrem ganzen Umfange ist eine unendliche. Daher sie auch ein Feld für eine besondere Virtuosität enthält.

*) Im Text der zweiten Originalausgabe fälschlich § 17.

§ 123. Da jeder Theologe — auch im weiteren Sinne des Wortes — um der Auslegung willen (vgl. § 89) in den Fall kommen kann (vgl. § 121), auch einer kritischen Überzeugung zu bedürfen: so muß jeder, um sich die Arbeiten der Virtuosen selbsttätig anzueignen und zwischen ihren Resultaten zu wählen, sowohl die hier zur Anwendung kommenden kritischen Grundsätze und Regeln inne haben, als auch eine allgemeine Kenntnis von den wichtigsten kritischen Quellen und ihrem Wert.[1])

Eine notdürftige Anleitung hiezu findet sich teils in den Prolegomenen der kritischen Ausgaben, teils wird sie auch unter jenem Mancherlei mitgegeben, welches man Einleitung ins N. Test. zu nennen pflegt.

§ 124. Von jedem Virtuosen der neutestamentischen Kritik ist alles zu fordern, was dazu gehört, sowohl den Text vollständig und folgerecht überall nach gleichen Grundsätzen zu konstituieren, als auch einen kritischen Apparat richtig und zweckmäßig anzuordnen.

Dies sind rein philologische Aufgaben. Es ist aber nicht leicht zu denken, daß ein Philologe ohne Interesse am Christentum seine Kunst daran wenden sollte, sie für das Neue Testament zu lösen, da dieses an sprachlicher Wichtigkeit hinter andern Schriften weit zurücksteht. Sollte es indes jemals der Theologie an solchen Virtuosen fehlen: so gäbe es auch keine Sicherheit mehr für dasjenige, was für die theologische Abzweckung dieses Studiums geleistet werden muß.

§ 125. Bei allem Bisherigen (§§ 116—124) liegt die Voraussetzung zum Grunde, daß eigene Auslegung nur derjenige bilden kann, welcher mit dem Kanon in seiner Grundsprache umgeht.

Die kritische Aufgabe hätte sonst nur einen Wert für den Übersetzer, und zwar auch nur in dem § 121 beschriebenen Umfang.

---

[1]) S. 43. § 44. Das Allgemeine, für jeden Notwendige, ist, die Prinzipien der Kritik zu kennen, um die Virtuosen der Kritik als Autorität in einzelnen Fällen prüfen zu können, und der Gründe seines Urteils selbst mächtig zu sein. Daraus entsteht dann die ebenfalls unentbehrliche Kenntnis ihrer Hauptresultate.

[§§ 47—60 siehe zu §§ 145 ff. der zweiten Auflage.]

§ 126. Da auch die meisterhafteste Übersetzung nicht vermag die Irrationalität der Sprachen aufzuheben: so gibt es kein vollkommenes Verständnis einer Rede oder Schrift anders als in ihrer Ursprache.[1])

Unter Irrationalität wird nur dieses Bekannte verstanden, daß weder ein materielles Element, noch ein formelles der einen Sprache ganz in einem der andern aufgeht. Daher kann eine Rede oder Schrift vermittelst einer Übersetzung, mithin auch die Übersetzung selbst als solche, nur demjenigen vollkommen verständlich sein, der sie auf die Grundsprache zurückzuführen weiß.

§ 127. Die Ursprache der neutestamentischen Bücher ist die griechische; vieles (nach § 121) Wichtige aber ist teils unmittelbar als Übersetzung aus dem Aramäischen anzusehen, teils hat das Aramäische mittelbaren Einfluß darauf geübt.[2])

Die früheren Behauptungen, daß einzelne Bücher ursprünglich aramäisch geschrieben seien, sind schwerlich mehr zu berücksichtigen. Vieles aber von dem, was als Rede oder Gespräch aufbewahrt worden, ist ursprünglich aramäisch gesprochen. Der mittelbare Einfluß ist die unter dem Namen des Hebraismus bekannte Sprachmodifikation.

§ 128. Schon die vielfältigen direkten und indirekten, in neutestamentischen Büchern auf alttestamentische genommenen Beziehungen machen eine genauere Bekanntschaft mit diesen Büchern, also auch in ihrer Grundsprache, notwendig.[3])

Um so mehr, als diese sich zum Teil auf sehr wichtige Sätze beziehen, worüber die Auslegung selbst gebildet sein muß, mithin auch ein richtiges Urteil über das Verhältnis der gemeinen griechischen Übersetzung des Alten Testaments zur Grundsprache unerläßlich ist.

---

[1]) S. 37. § 16. Keine Rede kann vollständig verstanden werden, als in der Ursprache. Auch die vollkommenste Übersetzung hebt die Irrationalität der Sprachen nicht auf.

§ 17. Auch Übersetzungen versteht nur derjenige vollkommen, der zugleich mit der Ursprache bekannt ist.

[2]) § 18. Die Ursprache des Kanon ist zwar griechisch; vieles aber ist unmittelbar Übersetzung aus dem Aramäischen, und noch mehreres ist mittelbar so anzusehn.

[3]) § 19. Da auf dem richtigen Verständnis des Kanon überall das eigene Urteil darüber, was ursprünglich christlich ist, beruht: so muß jeder Theologe den Kanon auch durch sich selbst verstehen.

§ 129. Je geringer die Verbreitung und die Produktivität einer Mundart ist, um desto weniger ist sie anders, als im Zusammenhange mit allen ihr verwandten ganz verständlich. Welches, auf das Hebräische angewendet, für das vollkommenste Verständnis des Kanon auch eine hinreichende Kenntnis aller semitischen Dialekte in Anspruch nimmt.[1])

Von jeher ist daher auch das Arabische und Rabbinische für die Erklärung der Bibel zugezogen worden.

§ 130. Diese Forderung, welche vielerlei der Abzweckung unserer theologischen Studien unmittelbar ganz Fremdes in sich schließt, ist indes nur an diejenigen zu stellen, welche es in der exegetischen Theologie zur Meisterschaft bringen wollen, und zwar in dieser bestimmten Beziehung.[2])

Von dieser rein philologischen Richtung gilt dasselbe, was zu § 124 gesagt worden ist.

§ 131. Jedem Theologen aber ist aus dem Gebiet der Sprachkunde zuzumuten eine gründliche Kenntnis der griechischen, vornehmlich prosaischen Sprache in ihren verschiedenen Entwicklungen, die Kenntnis beider alttestamentischen Grundsprachen, und vermittelst derselben eine klare Anschauung von dem Wesen und Umfang des neutestamentischen Hebraismus; endlich, um die Arbeiten der Virtuosen zu benutzen, außer einer Bekanntschaft mit der Literatur des ganzen Faches, besonders ein selbstgebildetes Urteil über das Zuviel und Zuwenig, das Natürliche und das Erkünstelte in der Anwendung des Orientalischen.[3])

---

[1]) S. 37. § 20. Da kein Dialekt vollkommen verstanden wird ohne seine verwandten Dialekte: so ist auch die vollständigste Kenntnis des Kanon nur durch die Kenntnis aller semitischen Dialekte möglich.

[2]) S. 38. § 21. Nur dieser zweite Punkt (20), nicht auch der erste (19), kann zu der speziellen Virtuosität auf diesem Gebiet gehören.

[3]) § 22. Auch hier ist nächst der Literatur Kritik der Virtuosen (Einl. 20 3, 4) eine notwendige Ergänzung, um im Gebrauch das, was einseitige Liebhaberei am Seltnen und Scharfsinnigen von dem, was echt philologisches Talent erzeugt hat, zu unterscheiden.

Denn hierin ist aus Liebhaberei von den einen, aus Vorurteil von den andern, immer wieder nach beiden Seiten hin gefehlt worden.

§ 132. Das vollkommne Verstehen einer Rede oder Schrift ist eine Kunstleistung, und erheischt eine Kunstlehre oder Technik, welche wir durch den Ausdruck Hermeneutik bezeichnen.[1])

Kunst, schon in einem engeren Sinne, nennen wir jede zusammengesetzte Hervorbringung, wobei wir uns allgemeiner Regeln bewußt sind, deren Anwendung im einzelnen nicht wieder auf Regeln gebracht werden kann. Mit Unrecht beschränkt man gewöhnlich den Gebrauch der Hermeneutik nur auf größere Werke oder schwierige Einzelheiten. Die Regeln können nur eine Kunstlehre bilden, wenn sie aus der Natur des ganzen Verfahrens genommen sind, und also auch das ganze Verfahren umfassen.

§ 133. Eine solche Kunstlehre ist nur vorhanden, sofern die Vorschriften ein auf unmittelbar aus der Natur des Denkens und der Sprache klaren Grundsätzen beruhendes System bilden.

So lange die Hermeneutik noch als ein Aggregat von einzelnen, wenn auch noch so feinen und empfehlenswerten Beobachtungen, allgemeinen und besonderen, behandelt wird, verdient sie den Namen einer Kunstlehre noch nicht.[2])

§ 134. Die protestantische Theologie kann keine Vorstellung vom Kanon aufnehmen, welche bei der Beschäftigung mit demselben die Anwendung dieser Kunstlehre ausschlösse.[3])

Denn dies könnte nur geschehen, wenn man irgendwie ein wunderbar inspiriertes vollkommenes Verständnis desselben annähme.

§ 135. Die neutestamentischen Schriften sind sowohl des

---

[1]) S. 38. § 23. Alles Verstehen einer Rede oder Schrift ist, weil dazu eine selbsttätige Produktion gehört nach Gesetzen, deren Anwendung nicht wieder auf Gesetze zu bringen ist, eine Kunst.

[2]) S. 39. § 27. Wer die Regeln der Auslegung nur als ein Aggregat von Observationen besitzen will, muß einem fremden unklaren Gefühl folgen.

[3]) § 29. Es gibt keine Vorstellungen über den Kanon, welche die Anwendung der so gefundenen hermeneutischen Regeln auf denselben aufhöbe.

inneren Gehaltes, als der äußeren Verhältnisse wegen von besonders schwieriger Auslegung.[1])

Das erste, weil die Mitteilung eigentümlicher, sich erst entwickelnder religiöser Vorstellungen in der abweichenden Sprachbehandlung nichtnationaler Schriftsteller zum großen Teil aus einer minder gebildeten Sphäre sehr leicht mißverstanden werden kann. Letzteres weil die Umstände und Verhältnisse, welche den Gedankengang modifizieren, uns großenteils unbekannt sind, und erst aus den Schriften selbst müssen erraten werden.

§ 136. Sofern nun der neutestamentische Kanon vermöge der eigentümlichen Abzweckung der exegetischen Theologie als Ein Ganzes soll behandelt werden, an und für sich betrachtet aber jede einzelne Schrift ein eignes Ganze ist, kommt noch die besondere Aufgabe hinzu, diese beiden Behandlungsweisen gegeneinander auszugleichen und miteinander zu vereinigen.[2])

Die gänzliche Ausschließung des einen oder andern dieser Standpunkte, wie sie aus entgegengesetzten theologischen Einseitigkeiten folgt, hat zu allen Zeiten Irrtümer und Verwirrungen in das Geschäft der Auslegung gebracht.

§ 137. Die neutestamentische Spezialhermeneutik kann nur aus genaueren Bestimmungen der allgemeinen Regeln in Bezug auf die eigentümlichen Verhältnisse des Kanon bestehen.[3])

---

[1]) S. 38. § 24. Die Auslegung des Kanons gehört zu den schwierigsten, teils weil das Spekulativ-Religiöse in dem unbestimmten Sprachgebrauch nicht-nationaler Schriftsteller aus einer im ganzen ungebildeten Sphäre sehr vielen Mißdeutungen ausgesetzt ist, teils weil die Umstände, welche den Gedankengang des Schriftstellers motivierten, uns häufig ganz unbekannt sind, und erst durch die Schriften selbst müssen erraten werden.

[2]) S. 40. § 31. Da das Ziel aller Auslegung darin besteht, jeden einzelnen Gedanken mit seinem Verhältnis zur Idee des Ganzen zugleich richtig aufzufassen, und so den Akt des Schreibens nachzukonstruieren: so muß vorzüglich bestimmt werden, inwiefern für die Auslegung der Kanon als Ein Ganzes zu nehmen, und inwiefern jede einzelne Schrift desselben für sich zu betrachten ist.

[3]) S. 39. § 28. Die Auslegungskunst ist eine philologische Disziplin, die auf eben so festen Prinzipien, als irgendeine andere beruht.

S. 40. § 30. Die Spezialhermeneutik des Kanon ist nur die nähere Be-

Sie kann um so mehr nur allmählich zu der strengeren Form einer Kunstlehre ausgebildet werden, als sie zu einer Zeit gegründet wurde, wo auch die allgemeine Hermeneutik nur noch als eine Sammlung von Observationen bestand.

§ 138. Die Kunstlehre der Auslegung kann auf zweifache Weise gestaltet werden, ist aber in jeder Fassung der eigentliche Mittelpunkt der exegetischen Theologie.[1])

Die allgemeine Hermeneutik kann entweder ganz hervortreten, sodaß das Spezielle nur als Korollarien erscheint, oder umgekehrt kann das Spezielle zusammenhängend organisiert und auf die allgemeinen Grundsätze dann nur zurückgewiesen werden. — Die Ausübung ist zwar allerdings durch Sprachkunde und Kritik bedingt; aber die Grundsätze selbst haben den entschiedensten Einfluß, sowohl auf die Operationen der Kritik, als auch auf die feineren Wahrnehmungen in der Sprachkunde.

§ 139. Daher gibt es auch hier nichts, weshalb sich einer auf andere verlassen dürfte: sondern jeder muß sich der möglichsten Meisterschaft befleißigen.[2])

Je mehr der Gegenstand schon bearbeitet ist, um desto weniger darf sich diese gerade in neueren Auslegungen zeigen wollen.

§ 140. Keine Schrift kann vollkommen verstanden werden, als nur im Zusammenhang mit dem gesamten Umfang von Vorstellungen, aus welchem sie hervorgegangen ist, und vermittelst der Kenntnis aller Lebensbeziehungen, sowohl der Schriftsteller, als derjenigen, für welche sie schrieben.[3])

---

stimmung jener [sc. allgemeinen] Regeln in Bezug auf die besondere Sprache des Kanon, und auf die besondere Gattung, zu der die Schriften gehören, aus denen er besteht.

[1]) S. 39. § 26. Die Auslegungskunst ist der Mittelpunkt der exegetischen Theologie, und in Absicht auf sie findet kein Unterschied statt zwischen allgemeinem Besitz und besonderer Virtuosität. Auch da, wo man die Sprachkenntnis nur als Notiz hat, muß doch die Auslegung eigen sein.

[2]) § 25. Da jeder Theologe zu einem eigenen Verständnis des Kanons gelangen soll: so muß auch jeder diese Kunst selbst üben, und darf keine Auslegung auf Autorität annehmen.

[3]) S. 40. § 32. Jede Schrift kann nur vollkommen verstanden werden durch die Kenntnis der Literatur, der sie angehört, des Zeitalters und besonders des Publikums, für welches sie geschrieben wurde, und der besondern Beziehungen, aus denen sie hervorgegangen ist.

Denn jede Schrift verhält sich zu dem Gesamtleben, wovon sie ein Teil ist, wie ein einzelner Satz zu der ganzen Rede oder Schrift.

§ 141. Der geschichtliche Apparat zur Erklärung des Neuen Testamentes umfaßt daher die Kenntnis des älteren und neueren Judentums, sowie die Kenntnis des geistigen und bürgerlichen Zustandes in den Gegenden, in welchen und für welche die neutestamentischen Schriften verfaßt wurden.[1])

Daher sind die alttestamentischen Bücher zugleich das allgemeinste Hilfsbuch zum Verständnis des Neuen Testamentes, nächstdem die alttestamentischen und neutestamentischen Apokryphen, die späteren jüdischen Schriftsteller überhaupt, sowie die Geschichtschreiber und Geographen dieser Zeit und Gegend. Alle diese wollen ebenfalls in ihrer Grundsprache kritisch und nach den hermeneutischen Regeln gebraucht werden.

§ 142. Viele von diesen Hilfsquellen sind bis jetzt noch weder in möglichster Vollständigkeit, noch mit der gehörigen Vorsicht gebraucht worden.[2])

Beides gilt besonders von den gleichzeitigen und späteren jüdischen Schriften.

§ 143. Dieser Gesamtapparat nimmt also noch auf lange Zeit die Tätigkeit vieler Theologen in Anspruch, um die bisherigen Arbeiten der Meister dieses Fachs zu berichtigen und zu ergänzen.[3])

Von einer andern Seite gehen diese Arbeiten in die Apologetik zurück, indem die Gegner des Christentums sich immer wieder die Aufgabe stellen, es ganz aus dem, was schon gegeben war, und zwar nicht immer als Fortschritt und Verbesserung, zu erklären. Hieher gehört aber nur die reine und vollständige Zubereitung des geschichtlichen Materials.

---

[1]) S. 41. § 33. *Keine Vorstellungsart vom Kanon kann diese Bedingungen des Verstehens für überflüssig erklären.*

[2]) § 34. *Da diese Bedingungen ein Unendliches enthalten: so tritt hier der Unterschied zwischen dem Allgemeinen und Besondern wieder vorzüglich ein.*

[3]) § 35. Die großen Züge zu kennen, wodurch das Ganze klar wird, und sich dadurch ein richtiges Bild der neutestamentischen Zeit zu entwerfen, ist die Pflicht eines jeden; die Masse des Einzelnen zusammenzubringen, wodurch Einzelnes und Kleines erläutert wird, ist die Sache der Virtuosen dieses Faches.

§ 144. Was sich hievon zum Gemeinbesitz eignet, wird, teils unter dem Titel jüdischer und christlicher Altertümer, teils mit vielerlei anderem verbunden, in der sogenannten Einleitung zum Neuen Testament mitgeteilt.[1])

In der letzteren, die überhaupt wohl einer Umgestaltung bedürfte, wird noch manches vermißt, was doch vorzüglich nach § 141 hieher gehört, weil man es zur Lesung des Neuen Testamentes mitbringen muß. — Was sich jeder von den Virtuosen dieses Fachs geben lassen kann, findet sich teils in Sammlungen aus einzelnen Quellen, teils in Kommentaren zu den einzelnen neutestamentischen Büchern.

§ 145. Die Hauptaufgabe der exegetischen Theologie ist noch keinesweges als vollkommen aufgelöst anzusehen.[2])

Selbst wenn man abrechnet, daß es einzelne Stellen gibt, die teils nie werden mit vollkommener Sicherheit berichtigt, teils nie zu allgemeiner Befriedigung erklärt werden.

§ 146. Auch für die hieher gehörigen Hilfskenntnisse besteht die doppelte Aufgabe fort, das Materiale immer mehr zu vervollständigen, und von dem Verarbeiteten immer mehr in Gemeinbesitz zu verwandeln.[3])

Schon das erste Studium unter der Anleitung der Meister muß nicht nur den Grund zu dem letzten legen, und vermittelst desselben die Ausübung der Kunstlehre gemäß beginnen, sondern auch die verschiedenen einzelnen Gebiete in Bezug auf die darin noch zu erwerbende Meisterschaft wenigstens aufschließen.

§ 147. Eine fortgesetzte Beschäftigung mit dem neu-

---

[1]) S. 41. § 36. Der erste Grund zum Besitz dieser Hilfskenntnisse wird gelegt durch diejenigen Notizen, die man in den Einleitungen in das Neue Testament zu vereinigen pflegt.

§ 37. Die Quellen, woraus Erläuterungen zu nehmen wären, sind noch lange nicht erschöpft.

[§§ 38—46 siehe zu §§ 116ff. der zweiten Auflage.]

[2]) S. 43. § 47. Wie das Verständnis des Kanon überall noch nicht vollendet ist, so darf auch der einzelne Theologe sein Studium desselben nie als vollendet ansehn.

[3]) S. 44. § 48. Der akademische Unterricht kann nur den Grund dazu legen, muß aber auch schon beide Richtungen, die auf die Universalität und die auf die Virtuosität, in sich vereinigen.

testamentischen Kanon, welche nicht durch eigenes Interesse am Christentum motiviert wäre, könnte nur gegen denselben gerichtet sein.[1])

Denn die rein philologische und historische Ausbeute, die der Kanon verspricht, ist nicht reich genug, um zu einem solchen zu reizen. Aber auch die Untersuchungen der Gegner (vgl. § 143) sind sehr förderlich geworden und werden es auch in Zukunft werden.

§ 148. Jede Beschäftigung mit dem Kanon ohne philologischen Geist und Kunst muß sich in den Grenzen des Gebietes der Erbauung halten; denn in dem der Theologie könnte sie nur durch pseudodogmatische Tendenz Verwirrung anrichten.[2])

Denn ein reines und genaues Verstehenwollen kann bei einem solchen Verfahren nicht zum Grunde liegen.

Zweiter Abschnitt.

Die historische Theologie im engeren Sinn oder die Kirchengeschichte.

§ 149. Die Kirchengeschichte im weiteren Sinne (vgl. § 90) ist das Wissen um die gesamte Entwicklung des Christentums, seitdem es sich als geschichtliche Erscheinung festgestellt hat.[3])

Was dasselbe abgesehen hievon nach außen hin gewirkt hat, gehört nicht mit in dieses Gebiet.

§ 150. Jede geschichtliche Masse läßt sich auf der einen Seite ansehen als Ein untrennbares werdendes Sein und Tun,

---

[1]) S. 44. § 49. Ohne religiöses Interesse läßt sich kein fortgesetztes Studium des Kanon denken, es müßte denn ein gegen ihn selbst gerichtetes sein.

[2]) § 50. Ohne philologischen Geist kann die Beschäftigung mit dem Kanon nur asketisch sein, oder sie wird ins Pseudodogmatische ausarten.

[3]) § 1. Der Gegenstand der Kirchengeschichte ist der Inbegriff alles dessen, was das Christentum von seinem Entstehen bis jetzt geworden ist oder gewirkt hat.

auf der andern als ein Zusammengesetztes aus unendlich vielen einzelnen Momenten. Die eigentlich geschichtliche Betrachtung ist das Ineinander von beiden.[1])

Das eine ist nur der eigentümliche Geist des Ganzen, in seiner Beweglichkeit angeschaut, ohne daß sich bestimmte Tatsachen sondern; das andere nur die Aufzählung der Zustände in ihrer Verschiedenheit, ohne daß sie in der Identität des Impulses zusammengefaßt werden. Die geschichtliche Betrachtung ist beides, das Zusammenfassen eines Inbegriffs von Tatsachen in Ein Bild des Innern, und die Darstellung des Innern in dem Auseinandertreten der Tatsachen.

§ 151. So ist auch jede Tatsache nur eine geschichtliche Einzelheit, sofern beides identisch gesetzt wird, das Äußere, Veränderung im Zugleichseienden, und das Innere, Funktion der sich bewegenden Kraft.[2])

Das Innere ist in diesem Ausdruck als Seele gesetzt, das Äußere als Leib, das Ganze mithin als ein Leben.

§ 152. Das Wahrnehmen und Im-Gedächtnis-Festhalten der räumlichen Veränderungen ist eine fast nur mechanische Verrichtung, wogegen die Konstruktion einer Tatsache, die Verknüpfung des Äußeren und Inneren zu einer geschichtlichen Anschauung, als eine freie geistige Tätigkeit anzusehen ist.[3])

Daher auch, was mehrere ganz als dasselbe wahrgenommen, sie doch als Tatsache verschieden auffassen.

---

[1]) S. 45. § 2. Es läßt sich ansehn von der einen Seite als Eine einzige Anschauung, von der andern als ein Ganzes von unendlich vielen einzelnen Anschauungen.

[2]) § 3. Jede Tatsache als geschichtliche Einzelheit ist ein Äußeres, die räumliche Veränderung, und ein Inneres, die Funktion der Kraft, welche betrachtet wird, identisch gedacht.

[3]) S. 46. § 6. Das Aneinanderfügen wahrgenommener räumlicher Veränderungen und ihr Festhalten im Gedächtnis ist Mechanismus; die Verknüpfung des Innern und Äußern zu einer geschichtlichen Anschauung ist Konstruktion, Tätigkeit eines Talentes.

§ 7 [= § 155 der zweiten Auflage]. Das Leben, die eigene geschichtliche Existenz des einzelnen Menschen, entwickelt dieses Talent von selbst.

§ 153. Die Darstellung der räumlichen Veränderungen als solcher in ihrer Gleichzeitigkeit und Folge ist nicht Geschichte, sondern Chronik; und eine solche von der christlichen Kirche könnte sich nicht als eine theologische Disziplin geltend machen.[1])

Denn sie gäbe von dem Gesamtverlauf dasjenige nicht, was in einer Beziehung zur Kirchenleitung steht.

§ 154. Nur der Stetigkeit wegen müssen auch in die geschichtliche Auffassung solche Ereignisse mit aufgenommen werden, die eigentlich nicht als geschichtliche Elemente anzusehen sind.[2])

Dahin gehört der Wechsel der Personen, welche an ausgezeichneten Stellen wirksam waren, wenn auch ihre persönliche Eigentümlichkeit keinen merklichen Einfluß auf ihre öffentlichen Handlungen gehabt hat.

§ 155. Die geschichtliche Auffassung ist ein Talent, welches sich in jedem durch das eigne geschichtliche Leben, wiewohl in verschiedenem Grade, entwickelt, niemals aber jener mechanischen Fertigkeit ganz entbehren kann.

Wie im gemeinen Leben, so auch im wissenschaftlichen Gebiet verfälscht ein aufgeregtes selbstisches Interesse, mithin auch jedes Parteiwesen, am meisten den geschichtlichen Blick.

§ 156. Zu dem geschichtlichen Wissen um das nicht Selbsterlebte gelangt man auf zwiefachem Wege, unmittelbar, aber mühsam zusammenschauend, durch die Benutzung der Quellen, leicht, aber nur mittelbar, durch den Gebrauch geschichtlicher Darstellungen.[3])

---

[1]) S. 45. § 4. Die Auseinanderreißung der räumlichen Veränderungen für sich ist nicht Geschichte, sondern Chronik. Es gibt viele Veränderungen, die gar nicht als geschichtliche Elemente anzusehen sind.

§ 5. Wie überall auch die vollständigste Chronik nur Vorarbeit ist für die Geschichte: so kann die Chronik der christlichen Kirche besonders gar nicht als theologische Disziplin gedacht werden, weil sie mit dem Interesse an der Wirksamkeit für das Christentum in gar keinem Zusammenhange steht.

[2]) [§§ 8ff. siehe zu §§ 160ff. der zweiten Auflage.]

[3]) S. 52. § 36. Es gibt eine zwiefache Art, um das Geschichtliche zu wissen: aus den Quellen selbst, und aus geschichtlichen Darstellungen.

Nicht leicht wird es auf irgend einem geschichtlichen Gebiet möglich sein, auf dem der Kirchengeschichte aber gewiß nicht, der letzteren zu entraten.

§ 157. Quellen im engeren Sinn nennen wir Denkmäler und Urkunden, welche dadurch für eine Tatsache zeugen, daß sie selbst einen Teil derselben ausmachen.[1])

Geschichtliche Darstellungen von Augenzeugen sind in diesem strengeren Sinn schon nicht mehr Quellen. Doch verdienen sie den Namen um so mehr, je mehr sie sich der Chronik nähern, und ganz anspruchslos nur das Wahrgenommene wiedergeben.

§ 158. Aus geschichtlichen Darstellungen kann man nur zu einer eigenen geschichtlichen Auffassung gelangen, indem man das von dem Schriftsteller Hineingetragene ausscheidet.

Dies wird erleichtert, wenn man mehrere Darstellungen derselben Reihe von Tatsachen vergleichen kann, um so mehr, wenn sie aus verschiedenen Gesichtspunkten genommen sind.

§ 159. Zu dem Wissen um einen Gesamtzustand, wie er ein Bild des Inneren (vgl. § 150) darstellt, gelangt man nur durch beziehende Verknüpfung einer Masse von zusammengehörigen Einzelheiten.[2])

Dies ist daher die größte, alles andere voraussetzende und in sich schließende Leistung der geschichtlichen Auffassungsgabe.

§ 160. Die Kirchengeschichte im weiteren Sinn (vgl. § 90) soll als theologische Disziplin vorzüglich dasjenige, was aus der eigentümlichen Kraft des Christentums hervorgegangen ist, von dem, was teils in der Beschaffenheit der in Bewegung gesetzten Organe, teils in der Einwirkung fremder Prinzipien seinen Grund hat, unterscheiden, und beides in seinem Hervortreten und Zurücktreten zu messen suchen.[3])

---

[1]) S. 52. § 37. Quellen im engeren Sinne für einzelne Tatsachen sind nur Monumente und Urkunden, welche selbst Teile der gesuchten Begebenheit sind, oder unmittelbar auf dieselbe zurückweisen. Geschichtliche Darstellungen, wenn auch von Zeitgenossen, sind doch nur mittelbare Quellen.

[2]) § 38. Ein gesamter Zustand kann nur nachgewiesen werden aus einer großen Masse analoger einzelner Tatsachen.

[3]) S. 46. § 10. Die Kirchengeschichte, als theologische Disziplin, soll vor-

Nur war es eine sehr verfehlte Methode, um deswillen die Darstellung selbst zu teilen in die der günstigen und der ungünstigen Ereignisse.

§ 161. Von dem ersten Eintritt des Christentums an, also auch schon in der Zeit des Urchristentums, kann man verschiedene, selbst wieder mannigfaltig teilbare Funktionen dieses neuen wirksamen Prinzips unterscheiden, und auch in der geschichtlichen Darstellung voneinander sondern.[1])

Auch dies gilt allgemein von allen bedeutenden geschichtlichen Erscheinungen, von allen religiösen Gemeinschaften nicht nur, sondern auch von den bürgerlichen.

§ 162. Keine von diesen Funktionen aber ist in ihrer Entwicklung ohne ihre Beziehung auf die anderen vollkommen zu verstehen; und jeder als ein relatives Ganze auszusondernde Zeitteil wird nur durch die Gegenseitigkeit ihrer Einwirkungen aufeinander, was er ist.[2])

Denn die lebendige Kraft ist in jedem Momente ganz gesetzt, und kann daher nur ergriffen werden in der gegenseitigen Bedingtheit aller verschiedenen Funktionen.

§ 163. Der Gesamtverlauf des Christentums kann also nur vollständig aufgefaßt werden durch die vielseitige Kombination beider Verfahrungsarten, indem jede, was der andern auf einem Punkte gefehlt hat, auf einem andern ergänzen muß.[3])

Während wir nur die eine Funktion verfolgen, bleibt uns die Anschauung

---

züglich das, was fremden Einwirkungen zuzuschreiben, von dem, was rein aus dem Prinzip selbst hervorgegangen ist, unterscheiden.

[1]) S. 46. § 8 [vgl. auch § 166 der zweiten Auflage]. Sobald das Christentum als tätiges Prinzip in die Welt eingetreten ist, kann man die Bildung der gemeinsamen Lehre und die Bildung des gemeinsamen Lebens als zwei Funktionen desselben unterscheiden.

[2]) § 9. Wie aber die Kirche die Gemeinschaft der Lehre sowohl, als des Lebens ist: so ist auch keine von beiden Funktionen ohne die andre in ihrer Tätigkeit zu verstehen, und jeder Moment ist nur in der ungetrennten Betrachtung lebendig und richtig aufzufassen.

[3]) S. 47. § 13. Die Aufgabe, den geschichtlichen Verlauf des Christentums zu erkennen, kann nur durch die vielseitigste Kombination beider Verfahrungsarten vollständig gelöset werden, indem jede ergänzen muß, was der andern fehlt.

des Gesamtlebens aus den Augen gerückt, und wir müssen uns vorbehalten, diese nachzuholen. Während wir die gleichzeitigen Züge zu Einem Bilde zusammenschauen, vermögen wir nicht die einzelnen Elemente genau zu schätzen, und müssen uns vorbehalten, sie an dem gleichartigen Früheren und Späteren zu messen.

§ 164. Je mehr man die verschiedenen Funktionen bei der geschichtlichen Betrachtung ins Einzelne und Kleine zerspaltet, desto öfter muß man Punkte zwischeneinschieben, welche das getrennt Gewesene wieder vereinigen. Je größer die parallelen Massen genommen werden, desto länger kann man die Betrachtung der einzelnen ununterbrochen fortsetzen.[1])

Die Perioden können also desto größer und müssen desto kleiner sein, je größere oder kleinere Funktionen man behandelt.

§ 165. Die wichtigsten Epochenpunkte indes sind immer solche, die nicht nur für alle Funktionen des Christentums den gleichen Wert haben, sondern auch für die geschichtliche Entwicklung außer der Kirche bedeutend sind.

Da die Erscheinung des Christentums selbst zugleich ein weltgeschichtlicher Wendepunkt ist: so kommen diesem andere auch nur in dem Maße nahe, als sie ihm hierin gleichen.

§ 166. Die Bildung der Lehre, oder das sich zur Klarheit bringende fromme Selbstbewußtsein, und die Gestaltung des gemeinsamen Lebens, oder der sich in jedem durch alle und in allen durch jeden befriedigende Gemeinschaftstrieb sind die beiden sich am leichtesten sondernden Funktionen in der Entwicklung des Christentums.[2])

Dies gibt sich dadurch zu erkennen, daß auf der einen Seite große Veränderungen vor sich gehen, während auf der andern alles beim Alten bleibt, und für die eine Seite ein Zeitpunkt bedeutend ist als Entwicklungsknoten, der für die andere bedeutungslos erscheint.

§ 167. Die Bildung des kirchlichen Lebens wird vor-

---

[1]) S. 51. § 35. Je mehr man die geschichtlichen Funktionen so vereinzelt betrachtet, um desto öfter muß man auf Punkte kommen, wo man das Getrennte wieder vereinigen muß; je mehr man sich nur an die größeren Glieder hält, um desto länger kann man unaufgehalten fortschreiten.

[2]) [Vgl. S. 46 § 8 der ersten Auflage.]

züglich mitbestimmt (vgl. § 160) durch die politischen Verhältnisse und den gesamten geselligen Zustand; die Entwicklung der Lehre hingegen durch den gesamten wissenschaftlichen Zustand, und vorzüglich durch die herrschenden Philosopheme.[1])

Dieses Mitbestimmtwerden ist natürlich und unvermeidlich, bedingt mithin nicht schon an und für sich krankhafte Zustände, enthält aber allerdings den Grund ihrer Möglichkeit. — Allgemeinere epochemachende Punkte, welche von einer neuen Entwicklung der Erkenntnis ausgehen, werden sich in der christlichen Kirche auch am meisten in der Geschichte der Lehre, solche hingegen, welche von Entwicklungen des bürgerlichen Zustandes ausgehen, werden sich auch am meisten in dem kirchlichen Leben kundgeben.

§ 168. Auf der Seite des kirchlichen Lebens sondern sich wiederum am leichtesten die Entwicklung des Kultus, d. h. der öffentlichen Mitteilungsweise religiöser Lebensmomente, und die Entwicklung der Sitte, d. h. des gemeinsamen Gepräges, welches der Einfluß des christlichen Prinzips den verschiedenen Gebieten des Handelns aufdrückt.[2])

Der Kultus verhält sich zu der Sitte, wie das beschränktere Gebiet der Kunst im engeren Sinne zu dem unbestimmteren des geselligen Lebens überhaupt.[3])

§ 169. Die Entwicklung des Kultus wird vorzüglich mitbestimmt durch die Beschaffenheit der dazu geeigneten, in der Gesellschaft vorhandenen Darstellungsmittel, und durch deren Verteilung in der Gesellschaft. Die Fortbildung der christlichen Sitte hingegen durch den Entwicklungs- und Verteilungszustand der geistigen Kräfte überhaupt.[4])

---

[1]) S. 47. § 12. Die Bildung des gemeinsamen christlichen Lebens wird vorzüglich affiziert durch die politischen Verhältnisse und durch den geselligen Zustand überhaupt.

§ 11. Die Bildung der Lehre wird vorzüglich affiziert durch die herrschenden Philosopheme und den wissenschaftlichen Zustand überhaupt.

[2]) § 14. In der Bildung des gemeinsamen Lebens unterscheiden sich wieder die Bildung der Sitte und die Bildung des Kultus.

[3]) S. 49. § 21. Der Kultus verhält sich zu der Sitte, wie das beschränkte Gebiet der Kunst zu dem größeren des geselligen Lebens.

[4]) [Zu § 169b vgl. S. 48 § 18 der ersten Auflage.]

Nämlich was das erste betrifft, so beruht die Mitteilung oder der Umlauf religiöser Erregungen, welcher nach denselben bewirkt werden soll, lediglich auf der Darstellung. Was das andere betrifft, so ruhen in diesem Zustand alle Motive, deren sich die religiöse Gesinnung bemächtigen soll.

§ 170. Beide aber, Sitte und Kultus, sind in ihrer Fortbildung auch so sehr aneinander gebunden, daß, wenn sie in dem Maß von Bewegung oder Ruhe zu sehr voneinander abweichen, entweder der Kultus das Ansehen gewinnt, in leere Gebräuche oder Aberglauben ausgeartet zu sein, während das christliche Leben sich in der Sitte bewährt, oder umgekehrt ruht auf der herrschenden Sitte der Schein, daß sie, während die christliche Frömmigkeit sich durch den Kultus erhält, nur das Ergebnis fremder Motive darstelle.[1])

In dieser verschiedenen Beurteilungsweise bekundet sich ein mit jener Ungleichmäßigkeit zusammenhängender innerer Gegensatz unter den Gliedern der Gemeinschaft.

§ 171. Je plötzlicher auf einem von beiden Gebieten bedeutende Veränderungen eintreten, um desto mehreren Reaktionen sind sie ausgesetzt; wogegen nur die langsameren sich als gründlich bewähren.[2])

Das erste versteht sich indes nur von solchen Veränderungen, die nicht zugleich auch mehrere Gebiete umfassen. Dergleichen werden daher leicht voreilig als epochemachende Punkte angesehen, da doch oft wenig Wirkungen von ihnen zurückbleiben.

§ 172. Langsame Veränderungen können nicht als fortlaufende Reihe aufgefaßt, sondern nur an einzeln hervorzu-

---

[1]) S. 47. § 15. Beides ist aber auch ineinander; denn jedes kann auf das andere zurückgeführt werden.

S. 48. § 16. Jedes, wenn es sich isoliert, verliert seinen Charakter. Denn der Kultus ohne Sitte erscheint nur als Ceremonie oder Aberglauben, und die Sitte ohne Kultus nur als ein Resultat des geselligen Zustandes, nicht des religiösen Prinzips.

[2]) S. 49. § 22. In beiden sind nur diejenigen Veränderungen gründlich, welche langsam vor sich gehen; je schneller, desto mehr Scheinbares ist darin.

hebenden Punkten zur Anschauung gebracht werden, welche die Fortschritte von einer Zeit zur andern darstellen.[1])

Auch diese aber dürfen nicht willkürlich gewählt werden, sondern sie müssen, wenn auch nur in untergeordnetem Sinn, eine Ähnlichkeit haben mit epochemachenden Punkten.

§ 173. Die geschichtliche Auffassung ist auf diesem Gebiet desto vollkommener, je bestimmter das Verhältnis des christlichen Impulses zu der sittlichen und künstlerischen Konstitution der Gesellschaft vor Augen tritt, und je überzeugender, was der gesunden Entwicklung des religiösen Prinzips angehört, von dem Schwächlichen und Krankhaften geschieden wird.[2])

Denn dadurch wird den Ansprüchen der Kirchenleitung an eine christliche Geschichtskunde genügt.

§ 174. Die kirchliche Verfassung kann zumal in der evangelischen Kirche, wo es ihr an aller äußeren Sanktion fehlt, nur als dem Gebiet der Sitte angehörig betrachtet werden.

Dieser Satz liegt, recht verstanden, jenseit aller über das evangelische Kirchenrecht noch obwaltenden Streitigkeiten, und spricht nur den wesentlichen Unterschied zwischen bürgerlicher und kirchlicher Verfassung aus.

---

[1]) S. 49. § 23. Die langsamen Veränderungen sind nicht in einer ununterbrochen fortlaufenden Reihe aufzufassen, sondern nur in diskreten Punkten, welche die Fortschritte von einer Zeit zur andern darstellen.

[2]) S. 48. § 17 [= § 174 der zweiten Auflage]. *Da die kirchliche Verfassung ohne äußere Sanktion ist, fällt sie ganz unter das Gebiet der Sitten.*

§ 18 [vgl. § 169 b der zweiten Auflage]. *An der Sitte zeigt sich, wie die religiöse Gesinnung in die verschiedenen Teile des Handelns eintritt, und wie sie sich zu den übrigen Motiven verhält.*

§ 19. *In diesem Zusammensein des religiösen Prinzips mit den übrigen Motiven begreift sich allein alles das, was zwar in der Kirche ist, aber nicht aus der Kirche hervorging, und wovon sie sich reinigen soll.*

§ 20 [zu §§ 19 u. 20 vgl. § 173 der zweiten Auflage]. *Ebenso auch die intensive Verschiedenheit, mit der das religiöse Prinzip sich der verschiedenen Gebiete des Lebens bemächtigt, aus der jedesmaligen moralischen Konstitution des Zeitalters oder der Nation.*

[§ 21 siehe zu § 168 Anm. der zweiten Auflage.]

§ 175. Diejenigen größeren Entwicklungsknoten, welche außer der Kirche auch das bürgerliche Leben affizieren, werden sich in der Kirche am unmittelbarsten und stärksten in der Verfassung offenbaren.[1])

Weil doch kein anderer Teil der christlichen Sitte so sehr (vgl. § 167) mit den politischen Verhältnissen zusammenhängt.

§ 176. Die kirchliche Verfassung ist am meisten dazu geeignet, daß sich an ihre Entwicklung die geschichtliche Darstellung des gesamten christlichen Lebens anreihe.[2])

Denn sie hat den unmittelbarsten Einfluß auf den Kultus, verdankt ihre Haltung dem Gesamtzustand der Sitte, und ist zugleich der Ausdruck von dem Verhältnis der religiösen Gemeinschaft zur bürgerlichen.

§ 177. Der Lehrbegriff entwickelt sich einerseits durch die fortgesetzt auf das christliche Selbstbewußtsein in seinen verschiedenen Momenten gerichtete Betrachtung, andrerseits durch das Bestreben, den Ausdruck dafür immer übereinstimmender und genauer festzustellen.[3])

Beide Richtungen hemmen sich gegenseitig, indem die eine nach außen geht, die andere nach innen. Daher charakterisieren sich verschiedene Zeiten durch das Übergewicht der einen oder der andern.

§ 178. Die Ordnung, in welcher hiernach die verschiedenen Punkte der Lehre hervortreten und die Hauptmassen der didaktischen Sprache sich gestalten, muß im großen wenigstens begriffen werden können aus dem eigentümlichen Wesen des Christentums.[4])

---

[1]) S. 49. § 25. Da die größten Revolutionen in der Kirchengeschichte diejenigen sind, welche nicht die Kirchengeschichte allein betreffen: so werden sich auch diese am stärksten in der Verfassung offenbaren.

[2]) § 24. Die Entwicklung der kirchlichen Verfassung, welche ihren nächsten Bezug auf den Kultus hat, ihre Haltung durch die Sitte bekommt, und zugleich das Verhältnis der Kirche zum Staat ausdrückt, ist allein geschickt, den fortlaufenden Faden zu bilden, an den sich das übrige anreiht.

[3]) [§ 177 = S. 50 § 28 der ersten Auflage; siehe unten.]

[4]) S. 50. § 26. Nur wenn man die Bildung des Lehrbegriffs isoliert be-

Denn es wäre widernatürlich, wenn Vorstellungen, die diesem am nächsten verwandt sind, sich zuletzt entwickeln sollten.

§ 179. Nur in einem krankhaften Zustande der Kirche können einzelne persönliche oder gar außerkirchliche Verhältnisse einen bedeutenden Einfluß auf den Gang und die Ergebnisse der Beschäftigung mit dem Lehrbegriff ausüben.[1])

Wenn dies dennoch nicht selten der Fall gewesen ist: so haben doch zumal neuere Geschichtschreiber weit mehr, als der Wahrheit gemäß ist, auf Rechnung solcher Verhältnisse geschrieben.

§ 180. Je weniger die Entwicklung des Lehrbegriffs frei bleiben kann von Schwanken und Zwiespalt: um desto mehr tritt auch das Bestreben hervor, teils die Übereinstimmung eines Ausdrucks mit den Äußerungen des Urchristentums nachzuweisen, teils ihn auf anderweitig zugestandene, nicht aus dem christlichen Glauben erzeugte Sätze, die dann Philosopheme sein werden, zurückzuführen.[2])

Beides würde, wiewohl später und nicht in demselben Maße, geschehen, wenn auch kein Streit obwaltet; denn zu jenem treibt schon der christliche Gemeingeist, zu dem andern das Bedürfnis, sich von der Zusammenstimmung des zur Klarheit gekommenen frommen Selbstbewußtseins und der spekulativen Produktion zu überzeugen.

§ 181. Nur in einem krankhaften Zustande kann beides so gegeneinander treten, daß die einen nicht wollen über die urchristlichen Äußerungen hinaus die Lehre bestimmen, die

---

trachtet, kann man sich die Aufgabe stellen, eine innere, mit dem Wesen des Christentums in Bezug stehende Gesetzmäßigkeit in seiner Entwicklung aufzufinden.

[1]) S. 50. § 27. Völlig äußere Lebensverhältnisse können nicht den wahren Grund enthalten zu wichtigen Entscheidungen im Gebiet des Lehrbegriffs.

[2]) § 28 [= § 177 der zweiten Auflage]. Die allmähliche Bildung des Lehrbegriffs ist auf der einen Seite die fortschreitende Betrachtung des christlichen Prinzips nach allen Beziehungen, auf der andern das Aufsuchen des Ortes für die Aussagen des christlichen Gefühls in dem geltenden philosophischen System.

§ 29 [= § 180 der zweiten Auflage]. Jenes endet in der Deduktion aus dem Kanon, dieses in der Übereinstimmung mit zugestandenen philosophischen Sätzen.

andern philosophische Sätze in die christliche Lehre einführen, ohne auch nur durch Beziehung auf den Kanon nachweisen zu wollen, daß sie auch dem christlichen Bewußtsein angehören.[1])

Jene wirken hemmend anf die Entwicklung der Lehre, diese trüben und verfälschen ebenso das Prinzip derselben.

§ 182. Die Änderungen, welche das Verhältnis beider Richtungen erleidet, zu kennen, gehört wesentlich zum Verständnis der Entwicklung der Lehre.

Nur zu oft erhält man durch Verabsäumung solcher Momente nur eine Chronik statt der Geschichte, und die theologische Abzweckung der Disziplin geht ganz verloren.

§ 183. Eben so wichtig ist, Kenntnis zu nehmen von dem Verhältnis in den Bewegungen der theoretischen Lehren und der praktischen Dogmen, und, wo sie weit auseinander gehen, ist es natürlich, die eigentliche Dogmengeschichte zu trennen von der Geschichte der christlichen Sittenlehre.[2])

Im ganzen ist allerdings die eigentliche Glaubenslehre durch vielfältigere und heftigere Bewegungen gebildet worden; doch darf die entgegengesetzte Richtung um so weniger übersehen werden.

§ 184. Bedenken wir, wieviel Hilfskenntnisse erfordert

---

[1]) S. 50. § 30. Da das Gleichgewicht beider Gesichtspunkte fast nirgends gegeben ist: so ist darauf zu achten, wie der eine über den andern das Übergewicht hat.

S. 51. § 31 [zu §§ 30 u. 31 vgl. § 182 der zweiten Auflage]. Es können teils in derselben Zeit verschiedene Parteien in dieser Hinsicht einander gegenüberstehn, teils auch verschiedene Zeiten durch ein Übergewicht des einen*) über das andere sich unterscheiden.

§ 32. *Das Bestreben, philosophische Systeme in die Theologie einzuführen, pflegt mit der Anwendung einer richtigen Schriftauslegung im Gegensatz zu stehen.*

[2]) § 33. Man kann in der Entwicklung des Lehrbegriffs unterscheiden die Bildung der theoretischen und der praktischen Dogmen.

§ 34. Es unterscheiden sich, wiewohl im ganzen die praktische Seite zurücksteht, immer Parteien oder Schulen, welche vorzüglich das eine oder das andere betreiben.

[§ 35 siehe zu § 164, §§ 36—38 zu §§ 156—159 der zweiten Auflage.]

---

*) erg. etwa: Verfahrens.

werden, um diese verschiedenen Zweige der Kirchengeschichte zu verfolgen: so ist dieses Gebiet offenbar ein unendliches, und postuliert einen großen Unterschied zwischen dem, was jeder inne haben muß, und dem, was (vgl. § 92) nur durch die Vereinigung aller Virtuosen gegeben ist.

Zu diesen Hilfskenntnissen gehört, wenn alles im Zusammenhang verstanden werden soll, die gesamte irgend zeitverwandte Geschichtskunde, und, wenn alles aus den Quellen entnommen werden soll, das ganze betreffende philologische Studium und vornehmlich die diplomatische Kritik.[1])

§ 185. Im allgemeinen kann nur gesagt werden, daß aus diesem unendlichen Umfang jeder Theologe dasjenige inne haben muß, was mit seinem selbständigen Anteil an der Kirchenleitung zusammenhängt.[2])

Diese dem Anschein nach sehr beschränkte Formel setzt aber voraus, daß jeder außer seiner bestimmten lokalen Tätigkeit auch einen allgemeinen, wenn gleich in seinen Wirkungen nicht bestimmt nachzuweisenden Einfluß auszuüben strebt.

§ 186. Wie nun der jedesmalige Zustand, aus welchem ein neuer Moment entwickelt werden soll, nur aus der gesamten Vergangenheit zu begreifen ist, zunächst aber doch der letzten epochemachenden Begebenheit angehört: so ist die richtige Anschauung von dieser, durch alle früheren Hauptrevolutionen nach Maßgabe ihres Zusammenhanges mit derselben deutlich gemacht, das erste Haupterfordernis.[3])

---

[1]) S. 52. § 39. Hilfswissenschaften, um aus den Quellen zu einer geschichtlichen Anschauung zu gelangen, sind das gesamte philologische Studium, diejenige Kritik, welche über die Echtheit der Monumente entscheidet, die historische Kritik überhaupt, und endlich die sämtliche übrige Geschichte.

[2]) S. 53. § 40. Was aus dem unendlichen Gebiet der Kirchengeschichte jeder Theolog inne haben muß, das läßt sich nur aus dem theologischen Zweck beurteilen.

§ 41. Jeder muß also die Kirchengeschichte inne haben nach Maßgabe des Interesses des gegenwärtigen Augenblicks.

[3]) § 42. Jeder letzte Augenblick, an den sich ein künftiger knüpfen soll, ist vorzüglich gegründet in der letzten revolutionären Begebenheit.

Daß hier keine besondere Rücksicht darauf genommen werden kann, ob der gegenwärtige Moment schon mehr die künftige Epoche vorbereitet, liegt am Tage; denn dies selbst muß zunächst aus seinem Verhältnis zur letzten beurteilt werden.

§ 187. Damit aber dieses nicht eine Reihe einzelner Bilder ohne Zusammenhang bleibe, müssen sie verbunden werden durch das nicht dürftig ausgefüllte Netz (vgl. § 91) der Hauptmomente aus jedem kirchengeschichtlichen Zweige in jeder Periode.[1])

Und dieses muß als Fundament selbständiger Tätigkeit auch ein womöglich aus verschiedenartigen Darstellungen Zusammengeschautes sein.

§ 188. Zu einer lebendigen, auch als Impuls kräftigen, geschichtlichen Anschauung gedeiht aber auch dieses nur, wenn der ganze Verlauf zugleich (vgl. § 150) als die Darstellung des christlichen Geistes in seiner Bewegung aufgefaßt, mithin alles auf Ein Inneres bezogen wird.[2])

Erst unter dieser Form kann die Kenntnis des Gesamtverlaufs auf die Kirchenleitung einwirken.

§ 189. Jede lokale Einwirkung erfordert eine genauere und, nach Maßgabe des Zusammenhanges mit der Gegenwart, der Vollständigkeit annähernde Kenntnis dieses besonderen Gebietes.[3])

Durch diese hat sich aber noch manches aus dem vorigen Zustande der Ruhe hinübergeschlichen, ja sie ist selbst in diesen gegründet usf., sodaß die Kenntnis aller Hauptrevolutionen nach Maßgabe ihres Zusammenhanges mit dem gegenwärtigen Augenblick das erste ist.

[1]) S. 53. § 43. Zwischen je zwei Epochen gibt es untergeordnete Hauptpunkte, aus denen man erkennen kann, wie die Kraft von jeder ab- oder zunimmt, und diese sind das zweite Unentbehrliche.

[2]) S. 54. § 44. Der gemeinsame Geist und Charakter eines Zeitalters kann nur fixiert werden in einem großen historischen Bilde. Wer sich nicht ein solches von jedem Zeitalter entwerfen kann, der lebt nicht in der Geschichte.

[3]) § 47. *Es ist in der Kirchengeschichte schwerer, als anderwärts, zu treuen Darstellungen der Tatsachen zu gelangen. An geschichtlichen Kunstwerken mangelt es noch überall.*

Die Regel modifiziert sich von selbst nach dem Umfang der Lokalität, indem die kleinste einer einzelnen Gemeine oft in dem Fall ist, eine besondere Geschichte nicht zu haben, sondern nur als Teil eines größeren Ganzen gelten zu können.

§ 190. Jeder muß auch wenigstens an einem kleinen Teil der Geschichte sich im eigenen Aufsuchen und Gebrauch der Quellen üben.[1])

Sei es nun, daß er nur beim Studium genau und beharrlich auf die Quellen zurückgehe, oder daß er selbständig aus den Quellen zusammensetze. Sonst möchte einem schwerlich auch nur so viel historische Kritik zu Gebote stehen, als zum richtigen Gebrauch abweichender Darstellungen erfordert wird.

§ 191. Eine über diesen Maßstab hinausgehende Beschäftigung mit der Kirchengeschichte muß neue Leistungen beabsichtigen.[2])

Nichts ist unfruchtbarer, als eine Anhäufung von geschichtlichem Wissen, welches weder praktischen Beziehungen dient, noch sich anderen in der Darstellung hingibt.

§ 192. Diese können sowohl auf Berichtigung oder Vervollständigung des Materials, als auch auf größere Wahrheit und Lebendigkeit der Darstellung gehen.[3])

Die Mängel in allen diesen Beziehungen sind noch unverkennbar und leicht zu erklären.

§ 193. Das kirchliche Interesse und das wissenschaft-

---

[1]) S. 55. § 49. Da das, was zum allgemeinen Bedarf gehört, zumeist nur aus abgeleiteten Quellen kann geschöpft werden, und die Kritik historischer Kompositionen, welche hiezu gehört, am besten durch eigne Übungen dieser Art gewonnen wird: so sollte jeder wenigstens irgend einen kleinen Teil der Kirchengeschichte aus den Quellen studieren, und so viel von den Quellen eines jeden Zeitalters gelesen haben, als nötig ist, um sich das Totalbild desselben recht zu beleben.

[2]) S. 54. § 45. Was hierüber hinausgeht, gehört zu demjenigen Betrieb der Kirchengeschichte, welcher auf die Vervollkommnung und Vollendung der einzelnen Teile als solcher ausgeht.

[3]) § 46. Wer etwas als Virtuose in der Kirchengeschichte leisten will, bezweckt entweder, Tatsachen aus den Quellen auszumitteln und zu berichtigen, oder einen Zeitraum richtiger und eigentümlich darzustellen.

liche können bei der Beschäftigung mit der Kirchengeschichte nicht in Widerspruch miteinander geraten.[1])

Da wir uns bescheiden, für andere keine Regeln zu geben, beschränken wir den Satz auf unsere Kirche, welcher, als einer forschenden und sich selbst fortbildenden Gemeinschaft, auch die vollkommenste Unparteilichkeit nicht zum Nachteil gereichen, sondern nur förderlich sein kann. Darum darf auch das lebhafteste Interesse der evangelischen Theologen an seiner Kirche doch weder seiner Forschung, noch seiner Darstellung Eintrag tun. Und ebensowenig ist zu fürchten, daß die Resultate der Forschung das kirchliche Interesse schwächen werden; sie können ihm im schlimmsten Fall nur den Impuls geben, zur Beseitigung der erkannten Unvollkommenheiten mitzuwirken.

§ 194. Die kirchengeschichtlichen Arbeiten eines jeden müssen teils aus seiner Neigung hervorgehen, teils durch die Gelegenheiten bestimmt werden, die sich ihm darbieten.[2])

Ein lebhaftes theologisches Interesse wird immer die erste den letzten zuzuwenden, oder für erstere auch die letztere herbeizuschaffen wissen.

Dritter Abschnitt.

Die geschichtliche Kenntnis von dem gegenwärtigen Zustande des Christentums.

§ 195. Wir haben es hier zu tun (vgl. § 94—97) mit der dogmatischen Theologie, als der Kenntnis der jetzt in der evangelischen Kirche geltenden Lehre, und mit der kirch-

---

[1]) S. 55. § 50. Das religiöse Interesse und das wissenschaftliche können einander beim Studium der Kirchengeschichte nie in den Weg treten.
§ 51. Wenn die Liebe, mit welcher ein Betrachtender in einer Kirchenpartei steht, rechter Art ist, kann sie nie blenden oder verfälschen.
S. 56. § 52. Die strenge Unparteilichkeit, welche der wissenschaftliche Geist fodert, ist weder Indifferentismus, noch kann sie je einer Kirche oder Partei zum Schaden gereichen.

[2]) S. 55. § 48. Die auf die Bereicherung der Wissenschaft Bezug habenden Arbeiten eines jeden müssen ein gemeinsames Produkt seiner Neigung und der Gelegenheiten sein, die sich im darbieten.

lichen Statistik, als der Kenntnis des gesellschaftlichen Zustandes in allen verschiedenen Teilen der christlichen Kirche.[1])

Der hier der dogmatischen Theologie angewiesene Ort, welche sonst auch unter dem Namen der systematischen Theologie eine ganz andere Stelle einnimmt, muß sich selbst vermittelst der weiteren Ausführung rechtfertigen. Hier ist nur nachzuweisen, daß die beiden genannten Disziplinen die Überschrift in ihrem ganzen Umfang erschöpfen. Dies erhellt daraus, daß es eigentlich in der Kirche, wie sie ganz Gemeinschaft ist, nichts zu erkennen gibt, was nicht ein Teil ihres gesellschaftlichen Zustandes wäre. Die Lehre ist nur aus diesem, weil ihre Darstellung einer eigentümlichen Behandlung fähig und bedürftig ist, herausgenommen. Dies konnte allerdings mit anderen Teilen des gesellschaftlichen Zustandes auch geschehen; solche sind aber noch nicht als theologische Disziplinen besonders bearbeitet. Kann aber in Zeiten, wo die Kirche geteilt ist, (nach § 98) nur jede einzelne Kirchengemeinschaft ihre eigene Lehre dogmatisch bearbeiten: so fragt sich, wie kommt der evangelische Theologe zur Kenntnis der in andern christlichen Kirchengemeinschaften geltenden Lehre, und welchen Ort kann unsere Darstellung dazu anweisen? Am unmittelbarsten durch die dogmatischen Darstellungen, welche sie selbst davon geben, die aber für ihn nur geschichtliche Berichte werden. Der Ort aber in unserer Darstellung ist die bis auf den gegenwärtigen Moment verfolgte Geschichte der christlichen Lehre, für welche jene Darstellungen die echten Quellen sind. Aber auch die Statistik kann bei jeder Gemeinschaft einen besonderen Ort haben für die Lehre derselben.

I. Die dogmatische Theologie.

§ 196. Eine dogmatische Behandlung der Lehre ist weder möglich ohne eigne Überzeugung, noch ist notwendig,

---

[1]) S. 56. § 1 [= § 198a der zweiten Auflage]. Die zusammenfassende Darstellung des letzten Moments in der geschichtlichen Kirche kann nur zeigen wollen, in welchem Verhältnis bis dahin das Prinzip der laufenden Periode sich nach allen Seiten hin entwickelt hat.

§ 2. Eben dieses Zweckes wegen darf auch hier die Trennung in Verfassung und Lehrbegriff (II. Einl. 20) stattfinden; nur muß die Beziehung beider auf einander nicht vernachlässigt werden.

§ 3. Diejenige theologische Disziplin, welche unter dem Namen der thetischen oder dogmatischen Theologie bekannt ist, hat es eben zu tun mit der zusammenhangenden Darstellung des in der Kirche jetzt grade geltenden Lehrbegriffs.

daß alle, die sich auf dieselbe Periode derselben Kirchengemeinschaft beziehen, unter sich übereinstimmen.

Beides könnte man daraus schließen wollen, daß sie es nur (vgl. §§ 97 und 98) mit der zur gegebenen Zeit geltenden Lehre zu tun habe. Allein wer von dieser nicht überzeugt ist, kann zwar über dieselbe, und auch über die Art, wie der Zusammenhang darin gedacht wird, Bericht erstatten, aber nicht diesen Zusammenhang durch seine Aufstellung bewähren. Nur dieses letzte aber macht die Behandlung zu einer dogmatischen; jenes ist nur eine geschichtliche, wie einer und derselbe sie bei gehöriger Kenntnis auf die gleiche Weise von allen Systemen geben kann. — Die gänzliche Übereinstimmung aber ist in der evangelischen Kirche deshalb nicht notwendig, weil auch zu derselben Zeit bei uns Verschiedenes nebeneinander gilt. Alles nämlich ist als geltend anzusehen, was amtlich behauptet und vernommen wird, ohne amtlichen Widerspruch zu erregen. Die Grenzen dieser Differenz sind daher allerdings nach Zeit und Umständen weiter und enger gesteckt.

§ 197. Weder eine bewährende Aufstellung eines Inbegriffs von überwiegend abweichenden und nur die Überzeugung des einzelnen ausdrückenden Sätzen würden wir eine Dogmatik nennen, noch auch eine solche, die in einer Zeit auseinandergehender Ansichten nur dasjenige aufnehmen wollte, worüber gar kein Streit obwaltet.[1])

Das erste wird niemand in Abrede stellen. Aber auch die von da ausgehende Streitfrage, ob Lehrbücher wirklich für dogmatische gelten können, welche über die geltende Lehre nur geschichtlich berichten, bewährend aber nur Sätze aufstellen, gegen welche amtlicher Einspruch erhoben werden könnte, gereicht noch unserm Begriff zur Bestätigung. — Eine lediglich irenische Zusammenstellung wird großenteils so dürftig und unbestimmt ausfallen, daß es nicht nur, um eine Bewährung hervorzubringen, überall an den Mittelgliedern fehlen wird, sondern auch an der nötigen Schärfe der Begriffsbestimmung, um der Darstellung Vertrauen zu verschaffen.

§ 198. Die dogmatische Theologie hat für die Leitung der Kirche zunächst den Nutzen, zu zeigen, wie mannigfaltig

[1]) S. 57. § 4. Weder eine zusammenhangende Darstellung einer abweichenden, bloß subjektiven Überzeugung, noch die Aufstellung einer sogenannten biblischen Theologie, noch die geflissentliche friedliebende Beseitigung alles Streitigen entspricht jenem Begriff.

und bis auf welchen Punkt das Prinzip der laufenden Periode sich nach allen Seiten entwickelt hat, und wie sich dazu die der Zukunft anheimfallenden Keime verbesserter Gestaltungen verhalten. Zugleich gibt sie der Ausübung die Norm für den volksmäßigen Ausdruck, um die Rückkehr alter Verwirrungen zu verhüten und neuen zuvorzukommen.[1])

Dieses Interesse der Ausübung fällt lediglich in die erhaltende Funktion der Kirchenleitung, und ursprünglich hievon ist die allmähliche Bildung der Dogmatik ausgegangen. Die Teilung des ersten erklärt sich aus dem, was über den Gehalt eines jeden Momentes im allgemeinen (vgl. § 91) gesagt ist.

§ 199. In jedem für sich darstellbaren Moment (vgl. § 93) tritt das, was in der Lehre aus der letztvorangegangenen Epoche herrührt, als das am meisten kirchlich Bestimmte auf, dasjenige aber, wodurch mehr der folgenden Bahn gemacht wird, als von einzelnen ausgehend.[2])

Das erste nicht nur mehr kirchlich bestimmt, als das letzte, sondern auch mehr, als das aus früheren Perioden mit Herübergenommene; das letztere um so mehr nur auf einzelne zurückzuführen, je weniger noch eine neue Gestaltung sich bestimmt ahnden läßt.

§ 200. Alle Lehrpunkte, welche durch das die Periode dominierende Prinzip entwickelt sind, müssen unter sich zusammenstimmen; wogegen alle andern, solange man von ihnen nur sagen kann, daß sie diesen Ausgangspunkt nicht haben, als unzusammenhangende Vielheit erscheinen.[3])

Das dominierende Prinzip kann aber selbst verschieden aufgefaßt sein, und daraus entstehen mehrere in sich zusammenhangende, aber voneinander verschiedene dogmatische Darstellungen, welche, und vielleicht nicht mit

---

[1]) [Zu § 198a vgl. S. 56 § 1 der ersten Auflage.]

[2]) S. 57. § 5. Da jeder für sich darstellbare Moment (II. Einl. 30) zwischen zwei Epochen liegt, so ist in demselben auch in Bezug auf den Lehrbegriff teils das durch die erstere Gesetzte in der Kirche vorhanden, teils das die letzte Vorbereitende.

§ 6. Das erste aber tritt auf überwiegend als das kirchlich Bestimmte, das letztere überwiegend als das von einzelnen Ausgehende.

[3]) § 7. Vergleichungsweise erscheint das erstere überall als sich selbst gleich, als Einheit, das zweite als unter sich verschieden, als Vielheit.

Unrecht, auf gleiche Kirchlichkeit Anspruch machen. — Wenn die heterogenen vereinzelten Elemente zusammengehen, geben sie sich entweder als eine neue Auffassung des schon dominierenden Prinzips zu erkennen, oder sie verkündigen die Entwicklung eines neuen.[1])

§ 201. Wie zur vollständigen Kenntnis des Zustandes der Lehre nicht nur dasjenige gehört, was in die weitere Fortbildung wesentlich verflochten ist, sondern auch das, was, wenn es auch als persönliche Ansicht nicht unbedeutend war, doch als solche wieder verschwindet: so muß auch eine umfassende dogmatische Behandlung alles in ihrer Kirchengemeinschaft gleichzeitig Vorhandene verhältnismäßig berücksichtigen.[2])

Der Ort hiezu muß sich immer finden, wenn in dem Bestreben, den aufgestellten Zusammenhang zu bewähren, Vergleichungen und Parallelen nicht versäumt werden.

§ 202. Eine dogmatische Darstellung ist desto vollkommener, je mehr sie neben dem Assertorischen auch divinatorisch ist.[3])

In jenem zeigt sich die Sicherheit der eigenen Ansicht; in diesem die Klarheit in der Auffassung des Gesamtzustandes.

§ 203. Jedes Element der Lehre, welches in dem Sinne konstruiert ist, das bereits allgemein Anerkannte zusamt den natürlichen Folgerungen daraus festzuhalten, ist orthodox; jedes in der Tendenz Konstruierte, den Lehrbegriff beweglich

---

[1]) [§§ 8 u. 9 siehe zu § 208 der zweiten Auflage.]

[2]) S. 59. § 17. Zur vollständigen Kenntnis des gegenwärtigen Augenblicks gehört nicht nur dasjenige, was in die Zukunft hinübergenommen wird und wesentlich in die weitere Fortbildung verflochten ist, sondern auch dasjenige, was ebenso erzeugt, als rein persönliche Ansicht wieder verschwindet.

§ 18. Da die Darstellung des Lehrbegriffs auch die Richtung, welche das Ganze als ein Bewegliches nimmt, bezeichnen soll, so muß sie alles gleichzeitig Vorhandene verhältnismäßig berücksichtigen.

[3]) § 19. Keine Darstellung des Lehrbegriffs kann treu sein, die nicht zugleich divinatorisch ist. Das Divinatorische ist desto reichhaltiger, je weiter, und desto schwieriger, je näher der zu beschreibende Augenblick dem Kulminationspunkte einer Periode liegt.

zu erhalten und anderen Auffassungsweisen Raum zu machen, ist heterodox.[1])

Es scheint zu eng, wenn man diese Ausdrücke ausschließlich auf das Verhältnis der Lehrmeinungen zu einer aufgestellten Norm beziehen will; derselbe Gegensatz kann auch stattfinden, wo es eine solche nicht gibt. Nach obiger Erklärung kann vielmehr aus der orthodoxen Richtung erst das Symbol hervorgehen, und so ist es oft genug geschehen. Was aber fremd scheinen kann an dieser Erklärung, ist, daß sie gar nicht auf den Inhalt der Sätze an und für sich zurückgeht; und doch rechtfertigt sich auch dieses leicht bei näherer Betrachtung.

§ 204. Beide sind, wie für den geschichtlichen Gang des Christentums überhaupt, so auch für jeden bedeutenden Moment als solchen, gleich wichtig.[2])

Wie es bei aller Gleichförmigkeit doch keine wahre Einheit gäbe ohne die ersten: so bei aller Verschiedenheit doch keine bewußte freie Beweglichkeit ohne die letzten.

§ 205. Es ist falsche Orthodoxie, auch dasjenige in der dogmatischen Behandlung noch festhalten zu wollen, was in der öffentlichen kirchlichen Mitteilung schon ganz antiquiert ist, und auch durch den wissenschaftlichen Ausdruck keinen stimmten Einfluß auf andere Lehrstücke ausübt.[3])

Eine solche Bestimmung muß offenbar wieder beweglich gemacht, und die Frage auf den Punkt zurückgeführt werden, wo sie vorher stand.

§ 206. Es ist falsche Heterodoxie, auch solche Formeln in der dogmatischen Behandlung anzufeinden, welche in der kirchlichen Mitteilung ihren wohlbegründeten Stützpunkt

---

[1]) S. 58. § 10. Jedes Element des Lehrbegriffs, welches in dem Sinn konstruiert ist, das bereits Bestehende und Fixierte zusamt seinen natürlichen Folgerungen festzuhalten, ist orthodox.

§ 11. Jedes Element, welches in dem Sinne konstruiert ist, den Lehrbegriff beweglich zu erhalten und neue Darstellungen von dem Wesen des Christentums zu eröffnen, ist heterodox.

[2]) § 12. Beide sind für den geschichtlichen Gang des Christentums und für jeden Moment, der darin Bedeutung haben soll, gleich wichtig.

[3]) S. 59. § 13. Auch dasjenige festhalten wollen im Lehrbegriff, was bereits antiquiert ist, und so die Fortschreitung hemmen, ist die falsche Orthodoxie.

haben, und deren wissenschaftlicher Ausdruck auch ihr Verhältnis zu andern christlichen Lehrstücken nicht verwirrt.[1])

Hierdurch wird also die knechtische Bequemlichkeit keinesweges gerechtfertigt welche alles, woran sich viele erbauen, stehen lassen will, wenn es sich auch mit den Grundlehren unseres Glaubens nicht verträgt.

§ 207. Eine dogmatische Darstellung für die evangelische Kirche wird beiderlei Abweichungen vermeiden, und ungeachtet der von uns in Anspruch genommenen Beweglichkeit des Buchstaben doch können in allen Hauptlehrstücken orthodox sein; aber auch, ungeachtet sie sich nur an das Geltende hält, doch an einzelnen Orten auch Heterodoxes in Gang bringen müssen.[2])

Das hier Aufgestellte wird, wenn diese Disziplin sich von ihrem Begriff aus gleichmäßig entwickelt, immer das natürliche Verhältnis beider Elemente sein, und sich nur ändern müssen, wenn lange Zeit eines von beiden Extremen geherrscht hat.

§ 208. Jeder auf einseitige Weise neuernde oder das Alte verherrlichende Dogmatiker ist nur ein unvollkommenes Organ der Kirche, und wird von einem falsch heterodoxen Standpunkt aus auch die sachgemäßeste Orthodoxie für falsche erklären, und von einem falsch orthodoxen aus auch die leiseste und unvermeidlichste Heterodoxie als zerstörende Neuerung bekriegen.[3])

---

[1]) S. 59. § 14. Alles beweglich machen wollen, ohne selbst das Wesentliche des Christentums und seiner laufenden Periode zu schonen, zerstört die Einheit der geschichtlichen Erscheinung und ist die falsche Heterodoxie.

§ 15 [vgl. § 208b der zweiten Auflage]. Jeder in einer Relativität Befangene steht in Gefahr, was zum Wahren und Falschen der entgegengesetzten gehört, zu verwechseln.

[2]) § 16. Jede treue und den Zustand der Kirche wirklich umfassende Darstellung des Lehrbegriffs muß in ihrem Fundament und Hauptgebäude orthodox sein, eben so notwendig aber auch in einzelnen Teilen einzelnes Heterodoxe enthalten.

[§§ 17—19 siehe zu §§ 201f. der zweiten Auflage.]

[3]) S. 58. § 8. Je mehr noch das Prinzip der frühern Epoche im Entwickeln

Diese Schwankungen sind es vornehmlich, welche bis jetzt fast immer verhinderten, daß die dogmatische Theologie der evangelischen Kirche sich nicht in einer ruhigen Fortschreitung entwickeln konnte.

§ 209. Jeder in die dogmatische Zusammenstellung aufgenommene Lehrsatz muß die Art, wie er bestimmt ist, bewähren, teils durch unmittelbare oder mittelbare Zurückführung seines Gehaltes auf den neutestamentischen Kanon, teils durch die Zusammenstimmung des wissenschaftlichen Ausdrucks mit der Fassung verwandter Sätze.[1])

Alle Sätze aber, auf welche in diesem Sinn zurückgegangen wird, unterliegen derselben Regel; sodaß es hier keine andere Unterordnung gibt, als daß diejenigen Sätze am wenigsten beider Operationen bedürfen, für welche der volksmäßige, der schriftmäßige und der wissenschaftliche Ausdruck am meisten identisch sind, sodaß jeder Glaubensgenosse sie gleich an der Gewißheit seines unmittelbaren frommen Selbstbewußtseins bewährt. — Diese Unterscheidung wird wohl zurückbleiben von der, wie sie gewöhnlich gefaßt wurde, schon als antiquiert zu betrachtenden, von Fundamentartikeln und anderen.

§ 210. Wenn sich die Behandlung des Kanon bedeutend ändert, muß sich auch die Art der Bewährung einzelner Lehrsätze ändern, ungeachtet ihr Inhalt unverändert derselbe bleibt.[2])

Das orthodoxe dogmatische Interesse darf niemals den exegetischen Untersuchungen in den Weg treten oder sie beherrschen; aber das Wegfallen einzelner sogenannter Beweisstellen ist auch an und für sich kein Zeugnis gegen die Richtigkeit eines geltenden Lehrsatzes. Wogegen

---

begriffen ist, um desto weniger können sich die Elemente bemerklich machen, welche die folgende vorbereiten.

S. 58. § 9. Jeder ganz oder partiell den Lehrbegriff Aussprechende, der sich in der Relativität für eines von beiden befindet, ist nur ein unvollkommenes Organ der Kirche.

[1]) S. 60. § 20. Jedes in der Darstellung aufgenommene Element muß die Art, wie es bestimmt ist, bewähren, am Kanon sowohl, als an der Spekulation.

[§§ 21—24 siehe zu §§ 211 f. der zweiten Auflage.]

[2]) S. 61. § 25. Wenn die Behandlung des Kanon sich ändert, muß sich auch die Art der Bewährung einzelner Teile des Lehrbegriffs ändern, ohne jedoch, daß sie selbst sich änderten.

fortgeltende kanonische Bewährung einem Lehrsatz Sicherheit gewähren muß gegen die heterodoxe Tendenz.

§ 211. Für Sätze, welche den eigentümlichen Charakter der gegenwärtigen Periode bestimmt aussprechen, kann das Zurückführen auf das Symbol die Stelle der kanonischen Bewährung vertreten, wenn wir uns die damals geltende Auslegung noch aneignen können.[1])

In diesen Fällen wird es auch ratsam sein, die Übereinstimmung mit dem Symbol hervorzuheben, um diese Sätze bestimmter von anderen (vgl. §§ 199, 200, 203) zu unterscheiden. Dasselbe gilt aber keinesweges für Sätze, welche aus früheren Perioden durch reine Wiederholung in das Symbol der laufenden herübergenommen sind.

§ 212. Da der eigentümliche Charakter der evangelischen Kirchenlehre unzertrennlich ist von dem durch den Ausgang der Reformation erst fixierten Gegensatz zwischen der evangelischen und römischen Kirche: so ist auch jeder auf unsere Symbole zurückzuführende Satz nur insofern vollständig bearbeitet, als er den Gegensatz gegen die korrespondierenden Sätze der römischen Kirche in sich trägt.[2])

Denn weder ein Satz, in Beziehung auf welchen der Gegensatz unsererseits schon wieder aufgehoben wäre, noch einer, dem dieser Gegensatz fremd wäre, könnte hinreichende Bewährung in der Beziehung auf das Symbol finden.

§ 213. Der streng didaktische Ausdruck, welcher durch die Zusammengehörigkeit der einzelnen Formeln dem dogmatischen Verfahren seine wissenschaftliche Haltung gibt, ist

---

[1]) S. 60. § 21. Was in Bezug auf das Ganze und den ersten Anfang der Kanon ist, das ist in Bezug auf die laufende Periode und ihren Anfang das Symbol.

§ 22. Die Bewährung der orthodoxen Elemente des Lehrbegriffs am Kanon ist vermittelt durch die am Symbol.

[2]) S. 61. § 23. Die letzte Epoche in der Geschichte des Christentums ist die Reformation, durch welche sich der Gegensatz zwischen Protestanten und Katholiken festgestellt hat.

§ 24. Die Beziehung beider Parteien auf einander muß bei der Darstellung überall ins Auge gefaßt werden.

abhängig von dem jedesmaligen Zustand der philosophischen Disziplinen.[1])

Teils wegen des logischen Verhältnisses der Formeln zu einander, teils weil viele Begriffsbestimmungen auf psychologische und ethische Elemente zurückgehen.

§ 214. Das dialektische Element des Lehrbegriffs kann sich an jedes philosophische System anschließen, welches nicht das religiöse Element, entweder überhaupt, oder in der besonderen Form, welcher das Christentum zunächst angehören will, durch seine Behauptungen ausschließt oder ableugnet.[2])

Daher alle entschieden materialistischen und sensualistischen Systeme, die man aber wohl schwerlich für wahrhaft philosophisch gelten lassen wird — und alle eigentlich atheistischen werden auch diesen Charakter haben — nicht für die dogmatische Behandlung zu brauchen sind. Noch engere Grenzen im allgemeinen zu ziehen, ist schwierig.

§ 215. Einzelne Lehren können daher sowohl in gleichzeitigen dogmatischen Behandlungen verschieden gefaßt sein, als auch zu verschiedenen Zeiten verschieden lauten, während in beiden Fällen ihr religiöser Gehalt keine Verschiedenheit darbietet.[3])

Wegen Verschiedenheit der gleichzeitig bestehenden oder aufeinander folgenden Schulen und ihrer Terminologien. Solche Differenzen werden aber auch nur durch Mißverständnis Gegenstand eines dogmatischen Streites.

§ 216. Ebenso kann ein Schein von Ähnlichkeit entstehen zwischen Sätzen, deren religiöser Gehalt dennoch mehr oder weniger verschieden ist.

Nicht nur kann sich im einzelnen die Differenz verschiedener theologischer Schulen derselben Kirche verbergen hinter der Identität der

[1]) S. 61. § 26 [vgl. auch §§ 215 u. 216 der zweiten Auflage]. Durch Beziehung auf verschiedene philosophische Systeme entsteht ein verschiedener Ausdruck der einzelnen Lehren, ohne daß die Identität der ursprünglichen religiösen Affektion des Gemütes, welche durch die Lehre repräsentiert werden soll, dadurch aufgehoben würde.

[2]) § 27. An jedes wahrhaft philosophische System kann sich die Darstellung des Lehrbegriffs anschließen.

[3]) [Zu §§ 215 u. 216 vgl. auch S. 61 § 26 der ersten Auflage.]

wissenschaftlichen Terminologie, sondern auch protestantische und katholische Sätze, zumal bei einiger Entfernung von den symbolischen Hauptpunkten, können gleichbedeutend erscheinen.

§ 217. Die protestantische dogmatische Behandlung muß danach streben, das Verhältnis eines jeden Lehrstücks zu dem unsere Periode beherrschenden Gegensatz zum klaren Bewußtsein zu bringen.

Dies ist ein nur auf diesem Wege zu befriedigendes Bedürfnis der Kirchenleitung, in welches unrichtige Vorstellungen von dem Zustande dieses Gegensatzes, ob und wo er durch Annäherung beider Teile schon im Verschwinden begriffen sei, oder umgekehrt, ob und wo er sich erst bestimmter zu entwickeln anfange, die schwierigsten Verwirrungen hervorbringen muß.

§ 218. Die dogmatische Theologie ist in ihrem ganzen Umfang ein Unendliches, und bedarf einer Scheidung des Gebietes besonderer Virtuosität und des Gemeinbesitzes.[1])

Dieser bezieht sich aber natürlich nur auf den Umfang des zu verarbeitenden Stoffes, nicht auf die Sicherheit und Stärke der Überzeugung, oder auf die Art, wie diese gewonnen wird.

§ 219. Von jedem evangelischen Theologen ist zu verlangen, daß er im Bilden einer eignen Überzeugung begriffen sei über alle eigentlichen Örter des Lehrbegriffs, nicht nur so, wie sie sich aus den Prinzipien der Reformation an sich und im Gegensatz zu den römischen Lehrsätzen entwickelt haben, sondern auch, sofern sich Neues gestaltet hat, dessen für den Moment wenigstens geschichtliche Bedeutung nicht zu übersehen ist.[2])

---

[1]) S. 62. § 28. Da der Lehrbegriff der Kirche aus den Meinungen einzelner entsteht, und in demselben immer durchgehende und bleibende Elemente mit einander verbunden sind: so ist auch die Kenntnis seines jedesmaligen Zustandes ein Unendliches, in welchem die Gebiete des allgemeinen Besitzes und der besonderen Virtuosität zu unterscheiden sind.

[2]) § 29. Zu dem allgemeinen Gebiet gehört die vollständige Kenntnis alles desjenigen im Lehrbegriff beiden Kirchenparteien, was sich auf das Prinzip der letzten Epoche bezieht, und die Kenntnis desjenigen Neuen, woran man erkennen kann, daß es von geschichtlicher Bedeutung ist.

[§ 30ff. siehe zu §§ 222ff. der zweiten Auflage.]

Unter einem Ort verstehe ich einen solchen Satz oder Inbegriff von Sätzen, welche teils im Kanon und Symbol einen bestimmten Sitz haben, teils nicht übergangen werden können, ohne daß andere von demselben Umfang und Wert dunkel und unverständlich werden. — Der Ausdruck ‚Im Bilden der Überzeugung begriffen sein' schließt keinesweges einen skeptischen Zustand ein, sondern nur das dem Geist unserer Kirche wesentliche innere Empfänglichbleiben für neuere Untersuchungen, insofern teils die Behandlung des Kanon sich ändern, teils eine andere Quelle für den dogmatischen Sprachgebrauch sich eröffnen kann. Auch bezieht diese Forderung sich zunächst nicht auf den Glauben, so wie er ein Gemeingut der Christen ist, sondern auf die streng didaktische Fassung der Aussagen über denselben.

§ 220. Das dogmatische Studium muß daher beginnen mit der Auffassung und Prüfung einer oder mehrerer streng zusammenhängender Darstellungen des kirchlich Festgestellten, als weiterer Ausbildung der ihrer Natur nach nur fragmentarischen Symbole.[1])

Dogmengeschichte muß dabei, wenn auch nur so, wie auch der Laie die Grundzüge davon inne haben kann, notwendig vorausgesetzt werden. — Man unterscheide übrigens und stelle zusammen solche Darstellungen, welche ihre Sätze überwiegend aus dem symbolischen Buchstaben entwickeln, und solche, welche dem Geist der Symbole treu zu bleiben behaupten, wenn sie auch ihren Buchstaben ebenfalls der Kritik unterwerfen.

§ 221. In Bezug auf das Neue, aus dem Symbol nicht Verständliche, muß, inwiefern es in dieses Gebiet gehöre, zunächst die Betrachtung entscheiden, ob mehreres auf einen gemeinsamen Ursprung zurückweist und eine gemeinsame Abzweckung verrät.[2])

---

[1]) S. 64. § 40. Da der Lehrbegriff als ein Ganzes soll angeschaut werden und die Konsequenz weit leichter auffällt an dem mehr Entwickelten: so muß das Studium des gegenwärtigen Zustandes des Lehrbegriffs anfangen mit einer streng zusammenhangenden Darstellung des kirchlichen Fixierten, als weiterer Ausbildung der ihrer Natur nach nur fragmentarischen Symbole.

[2]) S. 65. § 41. Bei der Kenntnis des Neuen, aus dem Symbol Verständlichen, muß man sich gleich die Aufgabe stellen, eine gemeinsame Haltung und Abzweckung darin zu finden.

Denn je mehr dies der Fall ist, um desto sicherer kann ein geschichtliches Eingreifen solcher Ansichten vermutet werden.

§ 222. Genaue Kenntnis aller gleichzeitigen Behandlungsweisen und schwebenden Streitfragen, sowie aller gewagten Meinungen, und festes Urteil über Grund und Wert dieser Formen [Formeln?] und Elemente bilden das Gebiet der dogmatischen Virtuosität.[2])

Das feste Urteil ist zu verstehen mit Vorbehalt der frischen Empfänglichkeit (vgl. § 218), die dem Meister nicht minder notwendig ist, als dem Anfänger. — Unter gewagten Meinungen sind nicht nur die ephemeren Erscheinungen launenhafter und ungeordneter Persönlichkeiten zu verstehen, sondern auch alles, was als eigentlich krankhaft auf antichristliche oder mindestens antievangelische Impulse zu reduzieren ist und Gegenstand der polemischen Ausübung wird.[1])

§ 223. In der bisherigen Darstellung ist auf die jetzt überwiegend übliche Teilung der dogmatischen Theologie in die Behandlung der theoretischen Seite des Lehrbegriffs, oder die Dogmatik im engeren Sinn, und in die Behandlung der praktischen Seite, oder die christliche Sittenlehre, um so weniger Rücksicht genommen, als diese Trennung nicht als wesentlich angesehen werden kann; wie sie denn auch weder überhaupt, noch in der evangelischen Kirche etwas Ursprüngliches ist.[3])

Weder die Bezeichnungen theoretisch und praktisch, noch die Ausdrücke

---

[1]) S. 65. § 42. Ebenso ist für das, was sich als krankhaft zu erkennen gibt, ein in dem Geist des Zeitalters liegendes antichristliches oder irreligiöses Prinzip aufzusuchen.

[2]) S. 62. § 30. Zur besondern Virtuosität gehört die genaue Kenntnis aller einzelnen Streitigkeiten und gewagten Meinungen, auch diejenigen [derjenigen?], welche wieder verschwinden, ohne für sich allein in die Geschichte eingegriffen zu haben.

[3]) § 31 [vgl. § 230 der zweiten Auflage]. Alles bisher (3—30) Gesagte gilt gleich sehr von der theoretischen Seite des Lehrbegriffs, der christlichen Glaubenslehre oder Dogmatik im engern Sinne, und von seiner praktischen, der christlichen Sittenlehre.

S. 63. § 32. Beide sind nicht von Anfang her getrennte Disziplinen gewesen, stehen auch nicht immer mit einander im Gleichgewicht, weder der innern Ausbildung, noch der äußeren Darstellung.

Glaubens- und Sittenlehre sind völlig genau. Denn die christlichen Lebensregeln sind auch theoretische Sätze, als Entwicklungen von dem christlichen Begriff des Guten; und sie sind nicht minder Glaubenssätze, wie die eigentlich dogmatischen, da sie es mit demselben christlich frommen Selbstbewußtsein zu tun haben, nur so, wie es sich als Antrieb kundgibt. — Wenn nun gleich nicht geleugnet werden kann, daß die vereinigte Behandlung beider einer in vieler Hinsicht unvollkommenen Periode der theologischen Wissenschaften angehört: so läßt sich doch eine fortschreitende Verbesserung auch dieses Gebietes sehr wohl ohne eine solche Trennung denken.

§ 224. Wenn die Trennung beiderlei Sätzen den Vorteil gewährt, leichter in ihrer Zusammengehörigkeit aufgefaßt zu werden: so hat sie der christlichen Sittenlehre noch den besonderen Vorteil gebracht, daß sie nun eine ausführlichere Behandlung erfährt.[1])

Das letztere ist indes nicht wesentlich eine Folge der Trennung. Denn es läßt sich auch eine vereinigte Behandlung denken in umgekehrtem Verhältnis, als wirklich früher stattgefunden hat; und dann würde derselbe Vorteil auf Seiten der Dogmatik gewesen sein. Dem ersten steht gegenüber, daß eine wohlgeordnete, lebendige Vereinigung beider eine vorzügliche Sicherheit dagegen zu gewähren scheint, daß die eigentlichen dogmatischen Sätze nicht so leicht sollten in geistlose Formeln, noch die ethischen in bloß äußerliche Vorschriften ausarten können.

§ 225. Aus der Teilung des Gebietes kann sehr leicht die Meinung entstehen, als ob bei ganz verschiedener Auffassung der Glaubenslehre doch die Sittenlehre auf dieselbige Weise könnte aufgefaßt werden und umgekehrt.

Dieser Irrtum ist in unser kirchliches Gemeinwesen schon sehr tief eingedrungen, und ihm kann nur von der wissenschaftlichen Behandlung aus wirksam entgegengearbeitet werden.

---

[1]) S. 63. § 33. Je weniger eine genaue Korrespondenz in der Organisation der theoretischen und praktischen Philosophie zu Tage liegt; je weniger im Leben selbst die spekulativen Meinungen auch die Lebensweise bestimmen oder von ihr bestimmt werden; endlich, je weniger gleichförmig nach beiden Seiten das Prinzip der letztvergangenen oder nächstkünftigen Epoche sich ausbildet: um desto zweckmäßiger ist die Trennung beider Seiten des Lehrbegriffs in zwei verschiedene Disziplinen.

§ 226. Die Teilung findet eine große Rechtfertigung sowohl darin, daß die Bewährung aus dem Kanon und Symbol sich bedeutend anders gestaltet bei den ethischen Sätzen, als bei den dogmatischen, als auch darin, daß die Terminologie für die einen und die andern aus verschiedenen wissenschaftlichen Gebieten herstammt.

Wir haben zwar in dieser Beziehung die theologischen Wissenschaften überhaupt auf die Ethik und die von ihr abhängigen Disziplinen zurückgeführt; betrachten wir aber die dogmatische Theologie insbesondere, so rührt doch die Terminologie der eigentlichen Glaubenslehre großenteils aus der philosophischen Wissenschaft her, die unter dem Namen rationaler Theologie ihren Ort in der Metaphysik hatte, wogegen die christliche Sittenlehre überwiegend nur aus der Pflichtenlehre der philosophischen Ethik schöpfen kann.[1]

§ 227. Die Trennung beider Disziplinen hat auch ein verkehrtes eklektisches Verfahren erzeugt, indem man meinte, ohne Nachteil bei der christlichen Sittenlehre auf eine andere philosophische Schule zurückgehen zu dürfen, als bei der Glaubenslehre.[2]

Man darf sich nur die Möglichkeit einer ungeteilten Behandlung der dogmatischen Theologie vergegenwärtigt haben, um dies schlechthin unstatthaft zu finden.

§ 228. Die abgesonderte Behandlung ist desto sachgemäßer, je ungleichförmiger auf beiden Seiten der Verlauf der Periode in Bezug auf die Entwicklung des Prinzips und die Spannung des Gegensatzes entweder wirklich gewesen ist, oder je weniger gleichmäßig doch die wissenschaftliche Betrachtung dem wirklichen Verlauf gefolgt ist.[3]

---

[1]) S. 63. § 34. Die theoretische Seite des Lehrbegriffs verhält sich zur rationalen Theologie, wie die praktische Seite zur Pflichtenlehre der rationalen Ethik.

§ 35. Was sich für rationale Theologie ausgibt, ist oft nur Dogmatik, und was für rationale Ethik, oft nur religiöse Moral: beides mit Absonderung des eigentümlich Christlichen.

[2]) S. 64. § 36. Die theoretische und praktische Seite des Lehrbegriffs können nicht ohne gänzliche Ertötung auf verschiedenartige philosophische Systeme bezogen werden.

[3]) § 37. Der kirchliche Gegensatz der jetzigen Periode hat sich

Man würde vielleicht mit Unrecht behaupten, daß in Bezug auf die Sittlichkeit selbst der Gegensatz zwischen Protestantismus und Katholizismus minder entwickelt sei, als in Bezug auf den Glauben; aber daß er in unsern christlichen Sittenlehren bei weitem nicht so ausgearbeitet ist, als in unserer Dogmatik, scheint unleugbar.

§ 229. Viele Bearbeitungen der christlichen Sittenlehre lassen unleugbar von dem Typus einer theologischen Disziplin nur wenig durchschimmern, und sind von philosophischen Sittenlehren wenig zu unterscheiden.[1])

Daß dies von dem nachteiligsten Einfluß auf die Kirchenleitung sein muß, leuchtet ein. Bei einer ungeteilten Behandlung könnte sich für die sittenlehrigen Sätze ein solches Resultat nicht gestalten, es müßte denn auch die Glaubenslehre ihren Charakter verleugnen.

§ 230. Die abgesonderte Behandlung beider Zweige der dogmatischen Theologie wird desto unverfänglicher sein, je vollständiger alles von §§ 196—216 Gesagte auch auf die christliche Sittenlehre angewendet wird, und je mehr man in jeder von beiden Disziplinen den Zusammenhang mit der andern durch einzelne Andeutungen wiederherstellt.[2])

Das erste kann hier nicht besonders ausgeführt werden; die Möglichkeit des letzten erhellt aus dem zu § 224 Gesagten.

§ 231. Wünschenswert bleibt immer, daß auch die ungeteilte Behandlung sich von Zeit zu Zeit wieder geltend mache.[3])

Nur bei einer sehr großen Ausführlichkeit möchte dies kaum möglich sein, ohne daß die Masse alle Form verlöre.

---

auf der praktischen Seite des Lehrbegriffs für jetzt noch nicht so stark ausgeprägt, als auf der theoretischen.

[1]) S. 64. § 38. *Je mehr Wissenschaft und bürgerliches Leben in der Realität getrennt sind, um desto weniger bestimmen sich auch Lehrmeinungen und Maximen gegenseitig.*

[2]) § 39. Wenn auch beide Seiten des Lehrbegriffs als besondere Disziplinen behandelt werden, so entsteht desto notwendiger die Aufgabe, bei jedem einzelnen Satz der einen auf das, was sich daraus für die andere ergibt, zurückzuweisen.

[3]) [§§ 40—42 siehe zu §§ 220f. der zweiten Auflage.]

II. Die kirchliche Statistik.

§ 232. In dem Gesamtzustand einer kirchlichen Gesellschaft unterscheiden wir die innere Beschaffenheit und die äußeren Verhältnisse, und in der ersten wieder den Gehalt, der sich darin nachweisen läßt, und die Form, in welcher sie besteht.[1])

Manches scheint allerdings eben so leicht unter die eine, als unter die andere Hauptabteilung gebracht werden zu können, immer aber doch in einer andern Beziehung, sodaß dies der Richtigkeit der Einteilung keinen Eintrag tut.

§ 233. Die Aufgabe umfaßt in Zeiten, wo die christliche Kirche nicht äußerlich eines ist, alle einzelnen Kirchengemeinschaften.[2])

Jede ist dann für sich zu betrachten, und die Verhältnisse einer jeden zu den übrigen finden von selbst ihren Ort in der zweiten Hälfte. — Aber auch wenn einzelne Kirchengemeinschaften nicht bestimmt voneinander geschieden wären, würden doch einzelne Teile der Kirche sich sowohl ihrer inneren Beschaffenheit, als ihren Verhältnissen nach so sehr von andern unterscheiden, daß Einteilungen dennoch müßten gemacht werden.

§ 234. Der Gehalt einer kirchlichen Gemeinschaft in einem gegebenen Zeitpunkt beruht auf der Stärke und Gleichmäßigkeit, womit der eigentümliche Gemeingeist derselben die ganze ihr zugehörige Masse durchdringt.[3])

---

[1]) S. 65. § 43. Die Kenntnis des gegenwärtigen Zustandes der Kirche, oder die kirchliche Statistik, hat vorzüglich zu betrachten die religiöse Entwicklung, die kirchliche Verfassung und die äußeren Verhältnisse der Kirche im gesamten Gebiet der Christenheit.

[2]) § 44. Wenn durch das Entwicklungsprinzip einer Periode ein Gegensatz mehrerer Kirchenparteien sich gebildet hat: so ist jeder in allen diesen Beziehungen auch ein eigner Gang während dieser Periode vorgezeichnet, und daher jede Partei für sich und in Vergleichung mit den andern zu betrachten.

[3]) S. 66. § 45. Das Maß und die Art der religiösen Entwicklung bestimmt sich teils nach dem Verhältnis, in welchem der Lehrbegriff zu dem religiösen Bewußtsein der Gemeinheit steht, teils nach dem, in welchem sich

Zunächst also und im allgemeinen der Gesundheitszustand derselben in Bezug auf Indifferentismus und Separatismus (vgl. §§ 56 u. 57). Dieser wird aber erkannt einerseits aus den Entwicklungsexponenten des Lehrbegriffs mit Rücksicht auf die Einstimmigkeit oder Mannigfaltigkeit der Resultate und auf das Interesse der Gemeinde an dieser Funktion, andererseits aus dem Einfluß des kirchlichen Gemeingeistes auf die übrigen Lebensgebiete, und aus der Manifestation desselben in dem gottesdienstlichen Leben.

§ 235. Je größere Differenzen sich hierüber in weit verbreiteten Kirchengemeinschaften vorfinden, um desto zweckwidriger ist es, bei bloßen Durchschnittsangaben sich zu begnügen.

Das Lehrreichste für die Kirchenleitung würde verloren gehen, wenn nicht die am meisten verschiedenen Massen in Bezug auf die wichtigsten in Betracht kommenden Punkte miteinander verglichen würden.

§ 236. Das Wesen der Form, unter welcher eine Kirchengemeinschaft besteht, oder ihrer Verfassung, beruht auf der Art, wie die Kirchenleitung organisiert ist, und auf dem Verhältnis der Gesamtheit zu denen, welche an der Kirchenleitung teilnehmen, oder zu dem Klerus im weiteren Sinn.[1])

Die große Mannigfaltigkeit der Verfassungen macht es notwendig, sie unter gewisse Hauptgruppen zu verteilen, wobei aber Vorsicht zu treffen ist, sowohl, daß man nicht zu viel Gewicht auf die Analogie mit den politischen Formen lege, als auch, daß man nicht über den allgemeinen Charakteren die spezifischen Differenzen übersehe.[2])

§ 237. Die Darstellung der innern Beschaffenheit ist desto vollkommner, je mehr Mittel sie darbietet, den Einfluß

---

im Leben das religiöse Prinzip jeder Partei zu den herrschenden sinnlichen Motiven findet.

S. 66. § 46. Die Unterabteilungen sind also hier zu bestimmen nach der Verschiedenheit der gemeinschaftlich großen Massen einwohnenden Sinnesart.

[1]) § 47. Das Wesen jeder kirchlichen Verfassung drückt sich aus durch das Verhältnis, in welchem Laien und Klerus gegeneinander stehen.

[2]) § 48. Da hier die Analogie mit den politischen Verhältnissen besonders heraustritt, so bestimmen sich auch nach diesen die Unterabteilungen.

der Verfassung auf den inneren Zustand, und umgekehrt, richtig zu schätzen.

Denn dies hängt mit der größten Aufgabe der Kirchenleitung zusammen, und ohne diese Beziehung bleiben alle hieher gehörigen Angaben nur tote Notizen, wie alle statistischen Zahlen ohne geistvolle Kombination.

§ 238. Die äußeren Verhältnisse einer Kirchengemeinschaft, die nur Verhältnisse zu andern Gemeinschaften sein können, sind teils die zu gleichartigen, nämlich sowohl die des Christentums und einzelner christlichen Gemeinschaften zu den außerchristlichen, als auch die der christlichen Kirchengemeinschaften zu einander, teils die zu ungleichartigen, und hierunter vornehmlich zu der bürgerlichen Gesellschaft und zur Wissenschaft im ganzen Umfang des Wortes.[1])

Wir betrachten die letzte als eine Gemeinschaft schon deshalb, weil die Sprache alle wissenschaftliche Mitteilung bedingt, und jede doch ein besonderes Gemeinschaftsgebiet bildet, sodaß die Verhältnisse derselben Kirchengemeinschaft ganz verschieden sein können in verschiedenen Sprachgebieten.

§ 239. Jede Kirchengemeinschaft steht mit den sie berührenden in einem Verhältnis der Mitteilung sowohl, als der Gegenwirkung, welche auf das mannigfaltigste können abgestuft sein vom Maximum des einen zum Minimum des andern bis umgekehrt.

Unter Berührung soll nicht etwa nur lokales Zusammenstoßen verstanden werden, sondern jede Art von Verkehr. Gegenwirkung aber ist, auch abgesehen von aller nach außen gehenden Polemik, teils durch das gemeinsame Zurückgehen auf den Kanon, teils durch die von außen anbildende Tätigkeit, die nicht als gänzlich fehlend angesehen werden kann, bedingt.

§ 240. Das Verhältnis kirchlicher Gemeinschaften zu eigentümlichen Ganzen des Wissens schwankt zwischen den beiden Einseitigkeiten: der, wenn die Kirche kein Wissen gelten lassen will, als dasjenige, welches sie sich zu ihrem besondern Zweck aneignen, mithin auch selbst hervorbringen

---

[1]) S. 67. § 49. Das Wesentliche der äußeren Verhältnisse ist die Lage der Kirche gegen den Staat und gegen die Wissenschaft.

kann, und der, wenn das objektive Bewußtsein die Wahrheit des Selbstbewußtseins in Anspruch nehmen will.

Denn auf diesen beiden Punkten schließen beide Gemeinschaften einander aus. Zwischen beiden in der Mitte liegt als gemeinsamer Annäherungspunkt ein gegenseitiges tätiges Anerkennen beider. Die Aufgabe ist, ins Licht zu setzen, wie sich ein bestehendes Verhältnis zu diesen Hauptpunkten stellt.

§ 241. Das Gleiche gilt von dem Verhältnis zwischen Kirche und Staat. Nur daß man hier, wo sich bestimmtere Formeln [Formen?] entwickeln, leichter sieht, teils wie nicht leicht ein gegenseitiges Anerkennen stattfindet, ohne doch ein kleines Übergewicht auf die eine oder andere Seite zu legen, teils wie zumal das evangelische Christentum seine Ansprüche bestimmt begrenzt.[1])

Daß eine Theorie über dieses Verhältnis nicht hierher gehört, versteht sich von selbst. Viele aber von den hier nachgewiesenen Örtern werden auch in dem sogenannten Kirchenrecht behandelt, nur, wie auch schon der Name andeutet, überwiegend aus dem bürgerlichen Standpunkt betrachtet.

§ 242. Die kirchliche Statistik ist nach diesen Grundzügen einer Ausführung ins Unendliche fähig.

Diese muß aber natürlich immer erneuert werden, indem nach eingetretener Veränderung die jedesmaligen Elemente der Kirchengeschichte zuwachsen.

§ 243. Daß man sich bei uns nur zu häufig auf die Kenntnis des Zustandes der evangelischen Kirche, ja nur des Teiles beschränkt, in welchem die eigene Wirksamkeit liegt, wirkt höchst nachteilig auf die kirchliche Praxis.[2])

---

[1]) S. 67. § 50. *Ein besonderes Gebiet wird also da sein, wo diese in ihrer Bildung und Einwirkung auf einander einen eigentümlichen Gang genommen haben.*

§ 51. *Aus dem Bisherigen ergibt sich, daß die Unterabteilungen für diese Darstellung nach dem Nationalcharakter vorzüglich müssen genommen werden.*

[2]) § 53. Seine Kenntnis nur auf den Umfang der einzelnen Partei, der man angehört, zu beschränken, ist kaum für den Punkt, wo die Span-

Nichts begünstigt so sehr das Verharren bei dem Gewohnten und Hergebrachten, als die Unkenntnis fremder, aber doch verwandter Zustände. Und nichts bewirkt eine schroffere Einseitigkeit, als die Furcht, daß man anderwärts werde Gutes anerkennen müssen, was dem eigenen Kreise fehlt.[1])

§ 244. Eine allgemeine Kenntnis von dem Zustande der gesamten Christenheit in den hier angegebenen Hauptverhältnissen, nach Maßgabe wie jeder Teil mit dem Kreise der eignen Wirksamkeit zusammenhängt, ist die unerlaßliche Forderung an jeden evangelischen Theologen.[2])

Die hieraus freilich folgende Verpflichtung zu einer genaueren Kenntnis des Näheren und Verwandteren ist doch nur untergeordnet. Denn eine richtige Wirksamkeit auf die eigne Kirchengemeinschaft ist nur möglich, wenn man auf sie als auf einen organischen Teil des Ganzen wirkt, welcher sich in seinem relativen Gegensatz zu den andern zu erhalten und zu entwickeln hat.

§ 245. Durch besondere Beschäftigung mit diesem Fach ist noch vieles zu leisten, sowohl was den Stoff anlangt, als was die Form.[3])

Die neueste Zeit hat zwar viel Material herbeigeschafft; aber es ist selten aus den rechten Gesichtspunkten aufgefaßt. Und umfassendere Arbeiten gibt es noch so wenige, daß die beste Form noch nicht gefunden sein kann.

§ 246. Die bloß äußerliche Beschreibung des Vorhan-

---

nung zwischen ihr und der entgegengesetzten am höchsten gestiegen ist, zu rechtfertigen.

[1]) S. 68. § 54. Mangel an Kenntnis des gegenwärtigen Zustandes, sowohl des Lehrbegriffs, als der kirchlichen Gesellschaft, ist eine Hauptursache des toten Mechanismus in der Praxis.

[2]) S. 67. § 52. Da jedes bestimmte Gebiet innerhalb der Kirche als ein organischer Teil des Ganzen anzusehen, und also bewußte Wirksamkeit darauf ohne Kenntnis des Ganzen nicht möglich ist: so ist Kenntnis von dem dermaligen Zustande des Ganzen nach Maßgabe jenes Einflusses die unerlaßliche Pflicht eines jeden.

[3]) S. 68. § 57. Eine ganz ins einzelne gehende Kenntnis auch des wirklich individuell Gebildeten kann nur die Virtuosität einzelner sein.

§ 58. *Da diese nie ganz ohne Einseitigkeit sein wird, so ist auch zu ihrer richtigen Benutzung Kritik unentbehrlich.*

denen ist für diese Disziplin, was die Chronik für die Geschichte ist.[1])

Bei dem gegenwärtigen Zustand derselben aber ist es schon verdienstlich, Unbekannteres und Abweichenderes auch nur auf diese Weise zur allgemeinen Kenntnis zu bringen. Bloß topographische und onomastische oder bibliographische Notizen sind natürlich das am wenigsten Fruchtbare.[2])

§ 247. Eine ins einzelne gehende Beschäftigung mit dem gegenwärtigen Zustande des Christentums, welche, nicht vom kirchlichen Interesse ausgehend, auch keinen Bezug auf die Kirchenleitung nähme, könnte nur, wenn auch ohne wissenschaftlichen Geist betrieben, ein unkritisches Sammelwerk sein; je wissenschaftlicher aber, um desto mehr würde sie sich zum Skeptischen oder Polemischen neigen.[3])

Der Impuls kann wegen Beschaffenheit der Gegenstände nicht von einem rein wissenschaftlichen Interesse herrühren. Fehlt also das für die Sache: so muß eins gegen die Sache wirksam sein. Ähnliches gilt von der Kirchengeschichte.

§ 248. Ist das religiöse Interesse von wissenschaftlichem Geist entblößt: so wird die Beschäftigung, statt ein treues Resultat zu geben, nur der Subjektivität der Person oder ihrer Partei dienen.[4])

Denn nur der wissenschaftliche Geist kann, wo ein starkes Interesse vorwaltet, welches vom Selbstbewußtsein ausgeht, vor unkritischer Parteilichkeit sicherstellen.

---

[1]) S. 68. § 55 [vgl. § 243 Anm. der zweiten Auflage]. *Die lebendige Tätigkeit in dem Gebiet Einer Partei kann nicht leiden durch Anerkennung des Guten, welches sich in der entgegengesetzten findet.*

[2]) § 56. Alles bloß Topographische, Onomastische und Bibliographische ist nur als Hilfskenntnis anzusehen.

[3]) § 59. Ohne religiöses Interesse wird die Kenntnis von einem gegebenen Zustande des Christentums, je weiter ins einzelne verfolgt, um desto geistloser und zur bloßen Gedächtnissache, und je wissenschaftlicher betrieben, um desto skeptischer und polemischer.

[4]) S. 69. § 60. Ohne philosophischen und kritischen Geist wird sie nie ein treues Resultat geben, sondern nur der Subjektivität der Person oder de Kirchenpartei zur Erhöhung dienen.

§ 249. Die Disziplin, welche man gewöhnlich Symbolik nennt, ist nur aus Elementen der kirchlichen Statistik zusammengesetzt, und kann sich in diese wieder zurückziehn.[1])

Sie ist eine Zusammenstellung des Eigentümlichen in dem Lehrbegriff der noch jetzt bestehenden christlichen Parteien; und da diese nicht nach Weise der Dogmatik (vgl. §§ 196 u. 233) mit Bewährung des Zusammenhanges vorgelegt werden können: so muß die Darstellung rein historisch sein. Der nicht ganz der Sache entsprechende Name, weil nämlich nicht alle Parteien Symbole in dem eigentlichen Sinne des Wortes haben, kann nur sagen wollen, daß der Bericht sich an die am meisten klassische und am allgemeinsten anerkannte Darstellung einer jeden Glaubensweise halte. Ein solcher Bericht muß aber in unserer Disziplin (vgl. § 234) die Grundlage bilden zu der Darstellung der Verhältnisse des Lehrbegriffs in der Gemeinschaft; und der Unterschied ist nur der, daß dort der Lehrbegriff einer Gemeinschaft beschrieben wird in Verbindung mit ihren übrigen Zuständen, in der Symbolik aber in Verbindung mit den Lehrbegriffen der andern Gemeinschaften, wiewohl wir auch für die Statistik schon (vgl. § 235) das komparative Verfahren empfohlen haben.

§ 250. Auch die biblische Dogmatik kommt der Weise der Statistik in der Behandlung des Lehrbegriffs näher, als der eigentlichen Dogmatik.[2])

Denn unsere Kombinationsweise ist so sehr eine andere, und teils ist für die neutestamentischen biblischen Sätze das Zurückgehen auf den alttestamentischen Kanon nur ein sehr ungenügendes Surrogat für unser Zurückgehn auf den neutestamentischen, teils fehlt uns dort überall

---

[1]) S. 69. § 1. Da die Symbole für eine einzelne Periode dasselbe sind, was der Kanon für das gesamte Christentum: so pflegt man auch die Symbolik als eine einzelne, untergeordnete Disziplin anzusehen.

§ 2. Nur ist aus demselben Grunde das Historische, was dort nur als Propädeutik dient, bei ihr die Hauptsache, und das Philologische dagegen untergeordnet.

[2]) § 3. Will man einen Moment der Vergangenheit fixieren und sich recht lebendig hinein versetzen: so muß man sich ihn ebenso, wie die Dogmatik es mit der Gegenwart macht, in einer zusammenhangenden Darstellung vor Augen halten.

S. 70. § 4. Was man biblische Theologie nennt, ist nur eine solche Darstellung des Lehrbegriffs in der kanonischen Zeit, insofern man diese als Einen Moment ansehen kann.

die weitere Entwicklung der späteren Zeiten, die in unsere Überzeugung so eingegangen ist, daß wir uns jene nicht so aneignen können, wie es einer eigentlich dogmatischen Behandlung wesentlich ist. Die Darstellung des Zusammenhanges der biblischen Sätze in ihrem eigentümlichen Gewand ist also überwiegend eine historische. Und wie jedes zusammenfassende Bild (vgl. § 150) eines als Einheit gesetzten Zeitraums eigentlich die Statistik dieser Zeit und dieses Teils ist: so ist die biblische Dogmatik nur ein Teil von diesem Bilde des apostolischen Zeitalters.

Schlußbetrachtungen
über die historische Theologie.

§ 251. Wiewohl im ganzen in der christlichen Kirche die hervorragende Wirksamkeit einzelner auf die Masse abnimmt, ist es doch für die historische Theologie mehr, als für andere geschichtliche Gebiete, angemessen, die Bilder solcher Zeiten, die, als, wenn auch nur in untergeordnetem Sinne, epochemachend, als Einheit aufzufassen sind, an das Leben vorzüglich wirksamer Einzelner anzuknüpfen.[1])

Ab nimmt diese Wirksamkeit, weil sie in Christo absolut war, und wir keinen Späteren den Aposteln gleichstellen, von denen doch nur wenige eine bestimmte persönliche Wirksamkeit übten. Je weiter hin, desto mehr immer der gleichzeitigen Einzelnen,*) welche einen neuen Umschwung bewirkten. Jedoch ist dies keinesweges nur auf das Zeitalter der sogenannten Kirchenväter zu beschränken. Wohl aber können wir sagen, daß sich jeder einzelne hiezu desto mehr eigne, je mehr er dem Begriff eines Kirchenfürsten entspricht, daß aber solche, je weiter hinaus, desto weniger zu erwarten seien. Auch einzelne als Andeutung und Ahndung merkwürdige Abweichungen im Lehrbegriff werden oft am besten mit dem Leben ihrer Urheber verständlich.

§ 252. Die Kenntnis des geschichtlichen Verlaufs, welche schon zum Behuf der philosophischen Theologie (vgl. § 65) vorausgesetzt werden muß, darf nur die der Chronik an-

---

[1]) S. 70. § 5. Die Elemente jeder historisch-theologischen Darstellung sind weit mehr biographisch, als historisch.

*) Es sollte wohl heißen: desto mehr waren es immer die gleichzeitigen Einzelnen usw.

gehörige sein, welche unabhängig ist vom theologischen Studium: hingegen die wissenschaftliche Behandlung des geschichtlichen Verlaufs in allen Zweigen der historischen Theologie setzt die Resultate der philosophischen Theologie voraus.[1])

Dies gilt, wie aus dem Obigen erhellt, für die exegetische Theologie und die dogmatische nicht minder, als für die historische im engeren Sinn. Denn alle leitenden Begriffe werden in den Untersuchungen, welche die philosophische Theologie bilden, definitiv bestimmt.

§ 253. Hieraus und aus dem dermaligen Zustand der philosophischen Theologie (vgl. § 68) erklärt sich, wenn nicht die große Verschiedenheit in den Bearbeitungen aller Zweige der historischen Theologie, doch der Mangel an Verständigung über den ursprünglichen Sitz dieser Verschiedenheit.[2])

Denn sie selbst würde bleiben, weil, was § 51 von der Apologetik gesagt und § 64 auch auf die Polemik ausgedehnt ist, nicht nur in Bezug auf die verschiedenen Gestaltungen, die das Christentum in verschiedenen Kirchengemeinschaften erhält, gelten muß, sondern auch von den nicht unbedeutenden Verschiedenheiten, die noch innerhalb einer jeden stattfinden. Hat aber jede Partei ihre philosophische Theologie gehörig ausgearbeitet: so muß auch deutlich werden, welche von diesen Verschiedenheiten mit einer ursprünglichen Differenz in der Auffassung des Christentums selbst zusammenhängen, und welche nicht.

§ 254. Philosophische und historische Theologie müssen noch bestimmter auseinander treten, können aber doch nur mit- und durcheinander zu ihrer Vollkommenheit gelangen.[3])

---

[1]) S. 70. § 6. Diejenige Kenntnis des Christentums, welche vorausgesetzt werden muß, um zur philosophischen Theologie zu gelangen, braucht nur die exoterische zu sein, welche dem eigentlichen theologischen Studium vorangeht; die ganze Organisation der historischen Theologie aber gründet sich auf die Resultate der philosophischen.

[2]) § 7. *Die philosophische Theologie nimmt ihren Standpunkt über dem Christentum, die historische innerhalb desselben.*

[3]) § 8. Darum kann und muß, genau betrachtet, jeder Gegenstand der historischen Theologie auch Gegenstand für die philosophische sein, und die letztere ist die beständige Begleiterin der ersteren.

S. 71. § 12. Philosophische und historische Theologie können nur mit- und durcheinander zur Vollkommenheit gedeihen.

§ 9. Je weniger die philosophische Theologie sich noch als Dis-

Alle Zweige der historischen Theologie leiden darunter, daß die philosophische in ihrem eigentümlichen Charakter (vgl. § 33) noch nicht ausgearbeitet ist. Aber die philosophische Theologie würde ganz willkürlich werden, wenn sie sich von der Verpflichtung losmachte, alle ihre Sätze durch die klarste Geschichtsauffassung zu belegen. Und ebenso würde die historische alle Haltung verlieren, wenn sie sich nicht auf die klarste Entwicklung der Elemente der philosophischen Theologie beziehen wollte.

§ 255. In der gegenwärtigen Lage kann der Vorwurf, daß einer in der historischen Theologie nach willkürlichen Hypothesen verfahre, eben so leicht unbillig sein, als er auch gegründet sein kann.[1])

Gegründet ist er, wenn jemand die Elemente der philosophischen Theologie durch bloße Konstruktion konstituieren will, und dann die Begebenheiten darnach deutet. Unbillig ist er, wenn jemand nur nicht Hehl hat, daß seine philosophische Theologie, wie sie ihm mit der historischen wird, sich auch durch ihre Angemessenheit für diese bestätigt.

§ 256. Dasselbe gilt von dem Vorwurf, daß einer die historische Theologie in geistlose Empirie verwandle.[2])

Er ist gegründet, wenn jemand die in der philosophischen Theologie zu ermittelnden Begriffe, um sie in der historischen zu gebrauchen, als etwas empirisch Gegebenes aufstellt. Unbillig ist er, wenn jemand nur gegen die apriorische Konstruktion dieser Begriffe protestiert, und auf dem kritischen Verfahren (vgl. § 32) besteht.

---

ziplin anerkennen macht, um desto eher werden beide Behandlungsarten vermengt und verwechselt.

[1]) S. 71. § 10. Daher werden diejenigen, welche sich mit dem historischen Studium zugleich ihre philosophische Theologie bilden, so leicht von den Empirikern beschuldigt, daß sie die Geschichte nach ihren Hypothesen deuten.

[2]) § 11. Ebenso werden diejenigen, welche in der philosophischen Theologie alles historisch bewähren wollen, von denen, welche sich die ihrige aus einem fremden Standpunkt gebildet haben, für geistlose Empiriker angesehen.

Dritter Teil.

Von der praktischen Theologie.

Einleitung.

§ 257. Wie die philosophische Theologie die Gefühle der Lust und Unlust an dem jedesmaligen Zustand der Kirche zum klaren Bewußtsein bringt: so ist die Aufgabe der praktischen Theologie, die besonnene Tätigkeit, zu welcher sich die mit jenen Gefühlen zusammenhängenden Gemütsbewegungen entwickeln, mit klarem Bewußtsein zu ordnen und zum Ziel zu führen.[1])

Wie die philosophische Theologie hier aufgefaßt ist in der Einwirkung ihrer Resultate auf einen unmittelbaren Lebensmoment: so auch die praktische, wie ihre Resultate in einen solchen Lebensmoment eingreifen.

§ 258. Die praktische Theologie ist also nur für diejenigen, in welchen kirchliches Interesse und wissenschaftlicher Geist vereinigt sind.[2])

Denn ohne das erste entstehen weder jene Gefühle, noch diese Gemütsbewegungen, und ohne wissenschaftlichen Geist keine besonnene Tätigkeit, welche sich durch Vorschriften leiten ließe, sondern der dem Erkennen abgeneigte Tätigkeitstrieb verschmäht die Regeln.[3])

§ 259. Jedem besonnen Einwirkenden entstehen seine Aufgaben aus der Art, wie er den jedesmal vorliegenden

---

[1]) S. 72. § 1. Wie die philosophische Theologie die Gefühle der Lust und Unlust an den Ereignissen in der Kirche zur klaren Erkenntnis bringt: so bringt die praktische Theologie die aus ihnen entstehenden Gemütsbewegungen in die Ordnung einer besonnenen Tätigkeit.

[2]) § 2. Das Bedürfnis der praktischen Theologie entsteht also nur für den, in welchem religiöses Interesse und wissenschaftlicher Geist vereint sind.

[3]) § 3. Die Einwirkung auf die Kirche ohne wissenschaftlichen Geist ist nur eine unbewußte, und jede ohne Interesse am Christentum ist nur eine zufällige.

Zustand nach seinem Begriff von dem Wesen des Christentums und seiner besonderen Kirchengemeinschaft beurteilt.[1])

Denn da die Aufgabe im allgemeinen nur Kirchenleitung ist: so kann er nur jedesmal alles, was ihm gut erscheint, fruchtbar machen, das Entgegengesetzte aber unwirksam machen und umändern wollen.

§ 260. Die praktische Theologie will nicht die Aufgaben richtig fassen lehren; sondern indem sie dieses voraussetzt, hat sie es nur zu tun mit der richtigen Verfahrungsweise bei der Erledigung aller unter den Begriff der Kirchenleitung zu bringenden Aufgaben.

Für die richtige Fassung der Aufgaben ist durch die Theorie nichts weiter zu leisten, wenn philosophische und historische Theologie klar und im richtigen Maß angeeignet sind.[2]) Denn alsdann kann auch der gegebene Zustand in seinem Verhalten zum Ziel der Kirchenleitung richtig geschätzt, mithin auch die Aufgabe demgemäß gestellt werden. Wohl aber müssen zum Behuf der Vorschriften über die Verfahrungsweise die Aufgaben, indem man vom Begriff der Kirchenleitung ausgeht, klassifiziert und in gewissen Gruppen zusammengestellt werden.

§ 261. Will man diese Regeln als Mittel, wodurch der Zweck erreicht werden soll, betrachten: so müßte doch wegen Unterordnung der Mittel unter den Zweck alles aus diesen Vorschriften ausgeschlossen bleiben, was, indem es vielleicht die Lösung einer einzelnen Aufgabe förderte, doch zugleich im allgemeinen das kirchliche Band lösen oder die Kraft des christlichen Prinzips schwächen könnte.[3])

Der Fall ist so häufig, daß dieser Kanon notwendig wird. Offenbar kann

---

[1]) S. 73. § 4. Jedem besonnen Einwirkenden entsteht sein jedesmaliger Zweck durch die Art, wie ihm die Ereignisse in der Kirche aus dem Standpunkt der philosophischen Theologie erscheinen.

§ 5. *Ein Ereignis als solches ist aber nur in der Verbindung des Einzelnen mit dem Allgemeinen und in der Einheit der Gegenwart und Vergangenheit gesetzt.*

[2]) § 6. Die praktische Theologie beruht also sowohl der Materie, als der Form nach auf den beiden vorigen Zweigen.

[3]) § 7. Die technischen Vorschriften, welche die praktische Theologie aufstellt, haben also zum Gegenstand die Wahl und Anwendung der Mittel zu den einem jeden entstehenden Zwecken.

die einzelne gute Wirkung eines solchen Mittels nur eine zufällige sein; wenn sie nicht auf einem bloßen Schein beruht, sodaß die Lösung doch nicht die richtige ist.

§ 262. Ebenso, weil der Handelnde die Mittel nur anwenden kann mit derselben Gesinnung, vermöge deren er den Zweck will: so kann keine Aufgabe gelöst werden sollen durch Mittel, welche mit einem von beiden Elementen der theologischen Gesinnung streiten.[1])

Auch dieses beides, Verfahrungsarten, welche dem wissenschaftlichen Geist zuwiderlaufen, und solche, welche das kirchliche Interesse im ganzen gefährden, indem sie es in irgend einer einzelnen Beziehung zu fördern scheinen, sind häufig genug vorgekommen in der kirchlichen Praxis.

§ 263. Da aber alle besonnene Einwirkung auf die Kirche, um das Christentum in derselben reiner darzustellen, nichts anders ist, als Seelenleitung; andere Mittel aber hiezu gar nicht anwendbar sind, als bestimmte Einwirkungen auf die Gemüter, also wieder Seelenleitung: so kann es, da Mittel und Zweck gänzlich zusammenfallen, nicht fruchtbar sein, die Regeln als Mittel zu betrachten, sondern nur als Methoden.[2])

Denn Mittel muß etwas außerhalb des Zweckes Liegendes, mithin nicht in und mit dem Zwecke selbst Gewolltes sein, welches hier nur von dem Alleräußerlichsten gesagt werden kann, während alles näher Liegende selbst in dem Zweck liegt, und ein Teil desselben ist. Welches Ver-

---

S. 73. § 8. Keine dieser Vorschriften darf also wegen der Unterordnung der Mittel unter den Zweck etwas in sich haben, was beitragen müßte, das Kirchenband zu lösen oder die Gewalt des christlichen Prinzips irgendwie zu schwächen.

[1]) S. 74. § 9. Da jede wirkliche Anwendung eines Mittels unter dem allgemeinen Prinzip des Handelnden steht: so darf auch nichts einem von beiden Elementen der theologischen Gesinnung zuwiderlaufen.

[2]) § 10. Da es auf dem kirchlichen Gebiet kein anderes Objekt des Einwirkens gibt, als die Gemüter: so fallen alle Regeln der praktischen Theologie unter die Form der Seelenleitung.

§ 11. Da auch der Zweck aller Einwirkung auf die Kirche nichts anders sein kann, als Seelenleitung: so fallen Mittel und Zweck völlig zusammen.

hältnis des Teils zum Ganzen in dem Ausdruck Methode das Vorherrschende ist.

§ 264. Die in der Kirchenleitung vorkommenden Aufgaben klassifizieren und die Verfahrungsweisen angeben, läßt sich beides aufeinander zurückführen.

Denn jede besondere Aufgabe, sowohl ihrem Begriff nach, als in ihrem einzelnen Vorkommen, ist ebenso ein Teil des Gesamtzweckes, nämlich der Kirchenleitung, wie jede bei den besondern Aufgaben anzuwendende Methode nur ein Teil derselben ist. Daher läßt sich dies nicht wie zwei Hauptteile der Disziplin auseinanderhalten, indem die Klassifikation auch nur die Methode angibt, um die Gesamtaufgabe zu lösen.

§ 265. Alle Vorschriften der praktischen Theologie können nur allgemeine Ausdrücke sein, in denen die Art und Weise ihrer Anwendung auf einzelne Fälle nicht schon mit bestimmt ist (vgl. § 132), d. h. sie sind Kunstregeln im engeren Sinne des Wortes.[1])

In allen Regeln einer mechanischen Kunst ist jene Anwendung schon mit enthalten; wogegen die Vorschriften der höheren Künste alle von dieser Art sind, sodaß das richtige Handeln in Gemäßheit der Regeln immer noch ein besonderes Talent erfordert, wodurch das Rechte gefunden werden muß.

§ 266. Die Regeln können daher nicht jeden, auch unter Voraussetzung der theologischen Gesinnung, zum praktischen Theologen machen, sondern nur demjenigen zur Leitung dienen, der es sein will und es seiner innern Beschaffenheit und seiner Vorbereitung nach werden kann.[2])

Damit soll weder gesagt sein, daß zu dieser Ausübung ganz besondere, nur wenigen verliehene Naturgaben gehören, noch auch, daß die gesamte Vorbereitung dem Entschluß vorausgehen müsse.

---

[1]) S. 74. § 12. Alle praktisch theologischen Vorschriften können nur relativ und unbestimmt ausgedrückt werden, indem sie erst durch das Individuelle jedes gegebenen Falles und nur für ihn völlig bestimmt und positiv werden.

[2]) § 13. Daher können sie, wie alle Kunstregeln, den Künstler nicht bilden, sondern nur leiten.

§ 267. Wie die christliche Theologie überhaupt, mithin auch die praktische, sich erst ausbilden konnte, als das Christentum eine geschichtliche Bedeutung erhalten hatte (vgl. §§ 2—5), und dieses nur vermittelst der Organisation der christlichen Gemeinschaft möglich war: so beruht nun alle eigentliche Kirchenleitung auf einer bestimmten Gestaltung des ursprünglichen Gegensatzes zwischen den Hervorragenden und der Masse.[1])

Ohne einen solchen, der mannigfachsten Abstufungen fähigen, in dem Verhältnis der Mündigen zu den Unmündigen aber naturgemäß begründeten Gegensatz könnte aller Fortschritt zum Besseren nur in einer gleichmäßigen Entwicklung erfolgen, nicht durch eine besonnene Leitung. Ohne eine bestimmte Gestaltung desselben aber könnte die Leitung nur ein Verhältnis zwischen einzelnen sein, die Gemeinschaft also nur aus losen Elementen bestehen, und nie als Ganzes wirken, woran doch die geschichtliche Bedeutung gebunden ist.

§ 268. Diese bestimmte Gestaltung ist die zum Behuf der Ausgleichung und Förderung festgestellte Methode des Umlaufs, vermöge deren die religiöse Kraft der Hervorragenden die Masse anregt, und wiederum die Masse jene auffordert.

Daß auf diese Weise eine Ausgleichung erfolgt, und die Masse den Hervorragenden näher tritt, ist natürlich; Förderung aber ist nur zu erreichen, wenn man die religiöse Kraft überhaupt und namentlich unter den Hervorragenden in der Gemeinschaft als zunehmend voraussetzt.

§ 269. In der Übereinstimmung mit allem Bisherigen werden wir sonach in der christlichen Kirchenleitung vornehmlich zu betrachten haben die Gestaltung des Gegensatzes behufs der Wirksamkeit vermittelst der religiösen Vorstellungen, und die behufs des Einflusses auf das Leben, oder

[1]) S. 74. § 14. Die praktische Theologie kann in ihrem eigentümlichen Charakter nur in dem Maß sich entwickeln, als in der Kirche der Gegensatz zwischen Klerus und Laien heraustritt.

S. 75. § 15. *Die möglichen Gegenstände der Einwirkung lassen sich also ebenso zusammenfassen, wie die Wahrnehmungen des Zustandes einer ausgebildeten Kirche in einem gegebenen Moment.*

die leitende Tätigkeit im Kultus und die in der Anordnung der Sitte.

Beides unterscheidet sich zwar sehr bestimmt in der Erscheinung, ist aber der Formel nach allerdings nur ein unvollkommner Gegensatz. Denn der Kultus selbst besteht nur als geordnete Sitte; und da es den Anordnungen an aller äußeren Sanktion fehlt, so beruht ihre Giltigkeit auch nur auf der Wirksamkeit vermittelst der Vorstellung. Dies zwiefache Verhältnis wird aber auch sein Recht behaupten.

§ 270. Da die Hervorragenden dieses nur sind vermöge der beiden Elemente der theologischen Gesinnung, das Gleichgewicht von diesen aber nirgend genau vorauszusetzen ist: so wird es auch eine leitende Wirksamkeit geben, welche mehr klerikalisch ist, und eine mehr theologische im engeren Sinne des Wortes.[1])

Es ist nicht nachzuweisen, daß diese Differenz mit der vorigen zusammenfällt, noch weniger, daß sie nur das eine Glied derselben teilt; mithin sind beide vorläufig als koordiniert und sich kreuzend zu betrachten.

§ 271. Das Christentum wurde erst geschichtlich, als die Gemeinschaft aus einer Verbindung mehrerer räumlich bestimmter Gemeinden bestand, die aber auch jede den Gegensatz zur Gestalt gebracht hatten, als wodurch sie erst Gemeinden wurden. Daher nun gibt es eine leitende Wirksamkeit, deren Gegenstand die einzelne Gemeinde als solche ist, und die also nur eine lokale bleibt, und eine auf das Ganze gerichtete, welche die organische Verbindung der Gemeinen, das heißt die Kirche, zum Gegenstand hat.[2])

---

[1]) S. 76. § 20. Da die Elemente der theologischen Gesinnung nirgends als im Gleichgewicht anzusehen sind: so geht jede Einwirkung von einem Übergewicht entweder der klerikalischen oder der rein theologischen Tätigkeit aus.

[2]) S. 75. § 16. Da die Kirche ein organisches Ganzes ist: so ist jede Einwirkung auf dieselbe entweder eine allgemeine oder eine lokale, jedoch so, daß dieser Gegensatz immer nur ein relativer ist.

§ 17. Der kleinste organische Teil, worauf eine Einwirkung gerichtet sein kann, ist eine Gemeinde.

Auch dieser Gegensatz ist unvollständig, indem mittelbar aus der Leitung der einzelnen Gemeine etwas für das Ganze hervorgehen kann; und ebenso kann eine aus dem Standpunkt des Ganzen bestimmte leitende Tätigkeit zufällig nur eine einzelne Gemeine treffen. Im wirklichen Verlauf findet sich beides sehr bestimmt.

§ 272. In Zeiten der Kirchentrennung sind nur die Gemeinden Eines Bekenntnisses organisch verbunden, und die allgemeine leitende Tätigkeit in ihrer Bestimmtheit nur auf diesen Umfang beschränkt.[1])

Es gibt allerdings auch Einwirkungen von einer Kirchengemeinschaft aus auf andere; aber sie können nicht den Charakter einer leitenden Tätigkeit haben. — Aber auch wenn keine solche Trennung wäre, würden doch bei der gegenwärtigen Verbreitung des Christentums äußere Gründe das Bestehen einer allgemeinen, alle Christengemeinen auf Erden umfassenden Kirchenleitung unmöglich machen.

§ 273. Da nun die Verfahrungsweisen sich richten müssen nach der Art, wie der Gegensatz gefaßt und gestaltet ist: so muß auch die Theorie der Kirchenleitung eine andere sein für jede anders konstituierte Kirchengemeinschaft; und wir können daher eine praktische Theologie nur aufstellen für die evangelische Kirche.

Ja nicht einmal ganz für diese, da auch innerhalb ihrer zu viele Verschiedenheiten des Kultus und besonders der Verfassung vorkommen. Wir werden daher nur die deutsche im Auge haben.

§ 274. Wir sehen den zuletzt in § 271 ausgesprochenen Gegensatz als den obersten Teilungsgrund an, und nennen die leitende Tätigkeit mit der Richtung auf das Ganze das Kirchenregiment, die mit der Richtung auf die einzelne Lokalgemeine den Kirchendienst.[2])

---

[1]) S. 75. § 18. In einer Periode, worin ein Gegensatz dominiert, ist die höchste unmittelbare Einheit für eine reale Einwirkung die Kirchenpartei, und also die Praxis eines jeden durch den Geist seiner Partei bedingt.

§ 19. Diese Beschränkung der Praxis nimmt nur ab, insofern die Spannung der Gegensätze selbst sich auflöst.

[2]) S. 76. § 21. Die auf das Ganze gerichtete Tätigkeit nennen wir das Kirchenregiment im engeren Sinne, als ein Übergewicht des einzelnen über das Ganze bezeichnend.

Nicht als ob es in der Natur der Sache läge, daß dies die Haupteinteilung sein müßte, sondern weil dies dem gegenwärtigen Zustand unserer Kirche das Angemessenste ist. Es gibt anderwärts Verhältnisse, in denen von Kirchenregiment in diesem Sinne wenig zu sagen wäre, weil es nur ein sehr loses Band ist, wodurch eine Mehrheit von Gemeinen zusammengehalten wird. — Für unsere beiden Teile bietet sich übrigens noch eine andere Benennungsweise dar, nämlich, wenn der eine Kirchenregiment heißt, den andern Gemeinderegiment zu nennen. Die obige ist aber aus demselben Grunde vorgezogen worden, aus welchem dies die Haupteinteilung geworden, weil nämlich der Verband der Gemeinen, wie wir ihn vorzugsweise Kirche nennen, hervorragt, und es daher angemessen ist, auch den andern Teil auf diese Gesamtheit zu beziehen; da denn die Pflege eines einzelnen Teils nur erscheinen kann als ein Dienst, der dem Ganzen geleistet wird.

§ 275. Der Inhalt der praktischen Theologie erschöpft sich in der Theorie des Kirchenregimentes im engeren Sinne und in der Theorie des Kirchendienstes.[1])

Die oben §§ 269 und 270 angegebenen Gegensätze müssen nämlich in diesen beiden Hauptteilen aufgenommen und durchgeführt werden.

§ 276. Die Ordnung ist an und für sich gleichgiltig. Wir ziehen vor, den Anfang zu machen mit dem Kirchendienst, und das Kirchenregiment folgen zu lassen.*)

Gleichgiltig ist sie, weil auf jeden Fall die Behandlung des vorangehenden Teiles doch auf den Begriff des hernach zu behandelnden, und auf die mögliche verschiedene Gestaltung desselben Rücksicht nehmen muß. — Es ist aber die natürliche Ordnung, daß diejenigen, welche sich überhaupt zur Kirchenleitung eignen, ihre öffentliche Tätigkeit mit dem Kirchendienste beginnen.

S. 75. § 22. Die auf das Einzelne gerichtete lokale, weil sie nur im Namen des Ganzen ausgeübt werden kann, nennen wir als Handlung des einzelnen den Kirchendienst.

[1]) S. 76. § 23. Die praktische Theologie ist demnach erschöpft in der Theorie des Kirchenregimentes im engeren Sinn und des Kirchendienstes.

*) Anm.: In der ersten Auflage ist die Theorie des Kirchenregimentes der des Kirchendienstes vorangestellt.

Erster Abschnitt.

Die Grundsätze des Kirchendienstes.

§ 277. Die örtliche Gemeine, als ein Inbegriff in demselben Raum lebender und zu gemeinsamer Frömmigkeit verbundener christlicher Hauswesen gleichen Bekenntnisses, ist die einfachste vollkommen kirchliche Organisation, innerhalb welcher eine leitende Tätigkeit stattfinden kann.[1])

Der Sprachgebrauch gibt noch Landesgemeine, Kreisgemeine; aber hier findet nicht immer eben eine gemeinsame Übung der Frömmigkeit statt. Er gibt uns auch Hausgemeine; allein hier ist die leitende Tätigkeit nicht eine eigentümlich vom religiösen Interesse ausgehende.

§ 278. Der Gegensatz überwiegender Wirksamkeit und überwiegender Empfänglichkeit muß, wenn ein Kirchendienst stattfinden soll, wenigstens für bestimmte Momente übereinstimmend fixiert sein.[2])

Ohne bestimmte Momente kein gemeinsames Leben; und ohne Übereinkommen, wer mitteilend sein soll, und wer empfänglich, wäre es nur Verwirrung. Die Verteilung wird eine willkürliche bei Voraussetzung der größten Gleichheit; aber auch bei der größten Ungleichheit muß doch Empfänglichkeit allen zukommen. — Die Bestimmung dieses Verhältnisses für jede Gemeine gehört der Natur der Sache nach dem Kirchenregiment an.

§ 279. Die leitende Tätigkeit im Kirchendienst ist (vgl. § 269) teils die erbauende, im Kultus oder dem Zusammentreten der Gemeine zur Erweckung und Belebung des frommen Bewußtseins, teils die regierende, und zwar hier nicht nur

---

[1]) S. 84. § 1. Die leitende Tätigkeit, welche nicht auf das Ganze der Kirche gerichtet ist, kann nur die Gemeine, als die kleinste vollkommene religiöse Organisation, zum Gegenstande haben.

[2]) S. 85. § 2 Da der leitenden Tätigkeit ein Objekt gegenüber stehen muß, in welchem ein Übergewicht von Rezeptivität gesetzt ist: so kann der Kirchendienst, und also auch seine Theorie, nur in dem Maß hervortreten, als der Gegensatz zwischen Klerus und Laien sich wenigstens der Verrichtung nach gebildet hat.

durch Anordnung der Sitte, sondern auch durch Einfluß auf das Leben der einzelnen.[1])

Diese zweite Seite konnte oben (§ 269) nur so bezeichnet werden, wie es auch für das Kirchenregiment gilt. Der Kirchendienst aber würde einen großen Teil seiner Aufgabe verfehlen, wenn die leitende Tätigkeit sich nicht auch einzelne zum Gegenstand machte.

§ 280. Die erbauende Wirksamkeit im christlichen Kultus beruht überwiegend auf der Mitteilung des zum Gedanken gewordenen frommen Selbstbewußtseins, und es kann eine Theorie darüber nur geben, sofern diese Mitteilung als Kunst kann angesehen werden.[2])

Das überwiegend gilt zwar (vgl. § 49) vom Christentum überhaupt, in diesem aber wiederum vorzüglich von dem evangelischen. — Gedanke ist hier im weiteren Sinne zu nehmen, in welchem auch die Elemente der Poesie Gedanken sind. Kunst in gewissem Sinne muß in jeder zusammenhängenden Folge von Gedanken sein. Die Theorie muß beides zugleich umfassen, in welchem Grade Kunst hier gefordert wird oder zugelassen, und durch welche Verfahrungsweisen die Absicht zu erreichen ist.

§ 281. Das Materiale des Kultus im engeren Sinne können nur solche Vorstellungen sein, welche auch im Inbegriff der kirchlichen Lehre ihren Ort haben; und die Theorie hat also, was den Stoff betrifft, zu bestimmen, was für Elemente der gemeinen Lehre, und in welcher Weise [sie] sich für diese Mitteilung eignen.[3])

---

[1]) S. 85. § 3. Im Kultus steht in diesem Sinne die gesamte Gemeine dem Kleriker gegenüber; im religiösen Zusammenleben überhaupt einzelne, aber als Glieder der Gemeine und in Bezug auf sie.

[2]) § 4. Da der Kultus in das Gebiet der Kunst fällt und aus Kunstelementen zusammengesetzt ist: so ist die Theorie des Kultus im allgemeinen die religiöse Kunstlehre.

[3]) § 5 [= § 282 der zweiten Auflage]. Sie hat teils den religiösen Stil in jeder Kunst zu bestimmen, teils die Art, wie aus ihnen insgesamt das religiöse Kunstwerk, der Kultus, zu bilden ist.

S. 86. § 6. Was im Kultus in das Gebiet der Sprache fällt, muß sich reduzieren lassen auf den Lehrbegriff.

§ 7. Also ist auch die Vollkommenheit aller dieser Elemente des

Materiale im engern Sinne sind diejenigen Vorstellungen, welche für sich selbst sollen mitgeteilt werden, im Gegensatz derer, die diesen nur dienen als Erläuterung und Darstellungsmittel. — Und da dieselben Vorstellungen in der mannigfaltigsten Weise vom Volksmäßigen bis zum streng Wissenschaftlichen, von der Umgangssprache bis zur rednerischen und dichterischen verarbeitet sind: so muß bestimmt werden, welche von diesen Schattierungen allgemein oder in verschiedener Beziehung sich für den Kultus eignen.

§ 282. Da der christliche Kultus, und besonders auch der evangelische, aus prosaischen und poetischen Elementen zusammengesetzt ist: so ist, was die Form anlangt, zuerst zu handeln von dem religiösen Stil, dem prosaischen sowohl, als dem poetischen, wie er dem Christentum eignet; dann aber auch von den verschiedenen Mischungsverhältnissen beider Elemente, wie sie in dem evangelischen Kultus vorkommen können.

Die Theorie der kirchlichen Poesie gehört wenigstens insoweit in die Lehre vom Kirchendienst, als auch die Auswahl aus dem Vorhandenen nach denselben Grundsätzen muß gemacht werden.

§ 283. Einförmigkeit und Abwechselung haben auf die Wirksamkeit aller Darstellungen dieser Art unverkennbaren Einfluß; daher ist auch die Frage zu beantworten, inwiefern, rein aus dem Interesse des Kultus, der besseren Einsicht die Rücksicht auf das Bestehende aufgeopfert werden muß, oder umgekehrt.

Zunächst scheint die Frage nur hieher zu gehören in dem Maß, als sie innerhalb der Gemeine selbst entschieden werden kann, ohne Zutritt des Kirchenregiments. Allein da die Gemeine doch auch ganz frei sein kann in dieser Beziehung, so wird diese Sache am besten ganz hieher gezogen.

§ 284. So sehr es auch dem Geist der evangelischen Kirche gemäß ist, die religiöse Rede als den eigentlichen Kern des Kultus anzusehen: so ist doch die gegenwärtig unter uns herrschende Form derselben, wie wir sie eigentlich

---

Kultus zu bestimmen nach ihrem Verhältnis zum Lehrbegriff, dessen Festsetzung daher die besondere Theorie dieses Teiles ausmacht.

durch den Ausdruck Predigt bezeichnen, in dieser Bestimmtheit nur etwas Zufälliges.[1])

Dies geht hinreichend schon aus der Geschichte unseres Kultus hervor; noch deutlicher wird es, wenn man untersucht, wovon die große Ungleichheit in der Wirksamkeit dieser Vorträge eigentlich abhängt.

§ 285. Da die Disziplin, welche wir Homiletik nennen, gewöhnlich diese Form als feststehend voraussetzt, und alle Regeln hauptsächlich auf diese bezieht: so wäre es besser, diese Beschränktheit fahren zu lassen, und den Gegenstand auf eine allgemeinere und freiere Weise zu behandeln.[2])

Der Unterschied zwischen eigentlicher Predigt und Homilie, welcher seit einiger Zeit so berücksichtigt zu werden anfängt, daß man für die letztere eine besondere Theorie aufstellt, tut der Forderung unseres Satzes bei weitem nicht Genüge.

§ 286. Fast überall finden wir in der evangelischen Kirche den Kultus aus zwei Elementen bestehend: dem einen, welches ganz der freien Produktivität dessen, der den Kirchendienst verrichtet, anheimgestellt ist, und einem andern, worin dieser sich nur als Organ des Kirchenregimentes verhält.[3])

In der ersten Hinsicht ist er vorzüglich der Prediger, in der andern der Liturg.

§ 287. Von dem liturgischen Element kann hier nur die Rede sein unter der Voraussetzung, daß und in welchem Maß eine freie Selbstbestimmung auch hiebei noch stattfindet.

---

[1]) S. 87. § 13. Die religiöse Rede ist zwar ein wesentliches Element des Kultus; aber ihre Form sowohl, als der Grad ihres Hervortretens vor den übrigen, ist sehr zufällig.

[2]) § 14. Die Theorie ihrer Form ist ein Teil der religiösen Kunstlehre; die ihrer Materie muß sich ergeben aus dem Verhältnis der Elemente des Kultus zum Lehrbegriff.

[3]) S. 86. § 8. Der Kleriker ist im Kultus teils Repräsentant der konstituierten kirchlichen Autorität als Liturg, teils handelt er mit individueller Selbsttätigkeit als Prediger.

§ 9. *Beide Handlungsweisen sind eben so wenig außer einander, als Freiheit und Gebundenheit des Kultus sich außer einander darstellen,*

Die Frage über die Selbstbestimmung kann nur aus dem Standpunkt des Kirchenregiments entschieden werden. Hier könnte sie es nur, sofern nachzuweisen wäre, daß eine gänzliche Verneinung mit dem Begriff des Kultus in der evangelischen Kirche streitet.

§ 288. Da der Kirchendienst im Kultus wesentlich an organische Tätigkeiten gebunden ist, welche eine der Handlung gleichzeitige Wirkung hervorbringen: so ist zu entscheiden, ob und inwiefern auch diese ein Gegenstand von Kunstregeln sein können, und solche sind demgemäß aufzustellen.

Die Regeln wären dann eine Anwendung der Mimik in dem weiteren Sinne des Wortes auf das Gebiet der religiösen Darstellung.

§ 289. Da die Handlungen des Kirchendienstes an eine beschränkte Räumlichkeit gebunden sind, welche ebenfalls durch ihre Beschaffenheit einen gleichzeitigen Eindruck machen kann: so ist zu entscheiden, inwiefern ein solcher zulässig ist oder wünschenswert, und demgemäß Regeln darüber aufzustellen.

Da die Umgrenzung des Raumes nur eine äußere Bedingung, mithin Nebensache, nicht ein Teil des Kultus selbst ist: so würden die Regeln nur sein können eine Anwendung der Theorie der Verzierungen auf das Gebiet der religiösen Darstellung.

§ 290. Sehen wir lediglich auf den Gegensatz überwiegend Produktiver und überwiegend Empfänglicher innerhalb der Gemeine, sodaß wir die letzteren als gleich be-

---

sondern müssen überall ineinander sein, nur in verschiedenem Verhältnis, und können nur nach Maßgabe des Übergewichtes der einen Funktion über die andere von einander gesondert werden.

S. 86. § 10. *Daher ist die doppelte Aufgabe zu lösen, wie und wodurch auch in den liturgischen Verrichtungen die individuelle Freiheit sich zu offenbaren habe, und wie und wodurch auch in den freien die liturgische Repräsentation.*

S. 87. § 11. *In der repräsentativen Tätigkeit muß das kirchlich Bestimmte oder die Vergangenheit vorherrschen, in der individuellen hingegen das Bestreben nach Fortbildung oder die Zukunft.*

§ 12. *Da nun jede Handlung aus beiden zusammengesetzt sein soll: so ist die Aufgabe zu lösen, wie sich beides vereinigen läßt.*

trachten: so kann es in der Gemeine eine leitende Tätigkeit geben, welche Gemeinsames hervorbringt; sofern aber unter den Empfänglichen ein Teil hinter dem Ganzen zurückbleibt: so ist ihr Zustand als Einzelner Gegenstand der leitenden Tätigkeit.[1])

Die letztere ist schon unter dem Namen der Seelsorge bekannt; und wir machen mit ihr den Anfang, da immer die Aufhebung einer solchen Ungleichheit als die erste Aufgabe erscheint. Erstere nennen wir die anordnende, und sie bringt sowohl Lebensweisen hervor, als einzelne gemeinsame Werke.

§ 291. Gegenstände der Seelsorge im weiteren Sinn sind zunächst die Unmündigen, in der Gemeine zu Erziehenden; und die Theorie der zur Organisation des Kirchendienstes gehörenden, auf sie zu richtenden Tätigkeit wird die Katechetik genannt.

Der Name ist nur von einer zufälligen Form der unmittelbaren Ausübung hergenommen, mithin für den ganzen Umfang der Aufgabe zu beschränkt.

§ 292. Das katechetische Geschäft kann nur richtig geordnet werden, wenn zwischen allen Beteiligten eine Einigung über den Anfangspunkt und Endpunkt desselben besteht.

Sofern also ist, wenn diese Einigung sich nicht von selbst ergibt, das Geschäft sowohl, als die Theorie abhängig von der ordnenden Tätigkeit.

§ 293. Vermöge des Zweckes, die Unmündigen den Mündigen gleich zu machen, sofern nämlich diese die Empfänglichen sind, muß das Geschäft aus zwei Teilen bestehen:

---

[1]) S. 87. § 15. Die klerikalische Tätigkeit, deren unmittelbarer Gegenstand die einzelnen sind, ist die Seelsorge.

§ 16. Ohne Seelsorge kann eine Gemeine weder bestehen, noch sich reproduzieren.

[Die folgenden §§ 17—22 bilden das ungefähre Gegenstück zu §§ 291—295 der zweiten Auflage.]

§ 17. *Die einzelnen können nur insofern Gegenstand einer besonderen klerikalischen Tätigkeit werden, als sie sich nicht in der Identität mit der Gemeine befinden.*

S. 88. § 18. *Die Seelsorge geht also zuerst auf die Hervorbringung dieser Identität bei denjenigen, welche einen natürlichen Anspruch auf dieselbe haben.*

daß sie nämlich ebenso empfänglich werden für die erbauende Tätigkeit und auch ebenso (vgl. § 279) für die ordnende; und die Aufgabe ist, beides durch ein und dasselbe Verfahren zu erreichen.

Das erste ist die Belebung des religiösen Bewußtseins nach der Seite des Gedankens hin, das andere die Erweckung desselben nach der Seite des Impulses.

§ 294. Sofern aber zugleich der Zweck sein muß, sie zu einer größeren Annäherung an die überwiegend Selbsttätigen vorzubereiten: so ist zu bestimmen, wie dies geschehen könne, ohne ihr Verhältnis zu den andern Mündigen zu stören.

Wie die Katechetik überhaupt auf die Pädagogik als Kunstlehre zurückgeht: so ist auch dieses eine allgemein pädagogische Aufgabe, die sich aber doch in Bezug auf das religiöse Gebiet auch besonders bestimmt.

§ 295. Da nach beiden Seiten (vgl. § 293) hin, nicht nur die Frömmigkeit im Gegensatz gegen das sinnliche Selbstbewußtsein, sondern auch in ihrem christlichen Charakter und als die evangelische zu entwickeln ist: so ist auch hier das Verhalten der individuellen und universellen Richtung zu einander, sowohl in Bezug auf die Ausgleichung als die Fortschreitung (vgl. § 294), zu bestimmen.

Es ist um so notwendiger, diese Aufgabe in die Theorie aufzunehmen, als

---

S. 88. § 19. *Die Erweckung des religiösen Prinzips überhaupt zum Bewußtsein und zur Selbsttätigkeit ist allemal zugleich auf Hervorbringung der individuellen Form der Religiosität in einer bestimmten Kirchenpartei gerichtet.*

§ 20. *Sie ist ebenso allemal zugleich Aufregung des Veränderlichen und den Augenblick Charakterisierenden und Einpflanzung des Bleibenden und Normalen.*

§ 21. *Aus diesen Bestimmungen sind also die materiellen Prinzipien der Katechetik abzuleiten.*

§ 22. *Da das Verhältnis des Klerikers zu den Katechumenen kein vollständiges Zusammenleben ist, und nur in der Realität des Lebens sich augenscheinlich zeigen kann, wie weit das religiöse Prinzip jedesmal gebildet ist: so kann die Aufgabe, diesen Mangel zu ersetzen, nur durch die Methodik jenes Verhältnisses gelöset werden.*

in der neuesten Zeit die merkwürdigsten Verirrungen in diesem Punkt vorgekommen sind.

§ 296. Aus ähnlichem Grunde können diejenigen Einzelnen Gegenstände einer ähnlichen Tätigkeit werden, welche als religiöse Fremdlinge im Umkreis oder der Nähe einer Gemeine leben, und dies erfordert dann eine Theorie über die Behandlung der Konvertenden.[1])

Je bestimmter die Grundsätze der Katechetik aufgestellt sind, um desto leichter müssen sich diese daraus ableiten lassen.

§ 297. Da aber diese Wirksamkeit nicht so natürlich begründet ist: so wären auch Merkmale aufzustellen, um zu erkennen, ob sie gehörig motiviert ist.[2])

Denn es kann hier auf beiden Seiten gefehlt werden, durch zu leichtes Vertrauen und durch zu ängstliche Zurückhaltung.

§ 298. Bedingterweise könnte sich eben hier auch die Theorie des Missionswesens anschließen, welche bis jetzt noch so gut als gänzlich fehlt.

Am leichtesten freilich nur, wenn man davon ausgeht, daß alle Bemühungen dieser Art nur gelingen, wo eine christliche Gemeine besteht.

§ 299. Einzeln können solche Mitglieder der Gemeine Gegenstände für die Seelsorge werden, welche ihrer Gleichheit mit den andern durch innere oder äußere Ursachen verlustig gegangen sind; und die Beschäftigung mit diesen nennt man die Seelsorge im engeren Sinne.[3])

---

[1]) S. 89. § 23. Inwiefern bei Nichtchristen ein Verlangen nach dieser Identität nur durch das Anschauen des religiösen Lebens einer Gemeine lebendig erregt werden kann, gehört hieher auch die Befriedigung dieses Verlangens oder die Vorbereitung der Konvertenden.

[2]) § 24. Da dieses Verlangen schon eine Regung des religiösen Prinzips nicht nur, sondern auch des auf gewisse Weise bestimmten ist: so hat die Theorie festzusetzen, was und wieviel von der Identität mit der Gemeine schon da sein muß, um einen Anspruch auf diesen Teil der Seelsorge zu begründen, und auf welchem Wege das Fehlende zu ergänzen ist.

[3]) § 25. Bei denen, welche schon zur Gemeine gehören, kann die Identität mit derselben innerlich oder äußerlich verletzt sein.

§ 26. Das Bestreben, den krankhaften Zustand einzelner, liege

Da nämlich die Gleichheit in der Wirklichkeit immer nur das Kleinste der Ungleichheit ist: so sollen diejenigen, die unter den Gleichen die Letzten sind, hier nicht gemeint sein; wie denn diese auch immer vorhanden sind, jene aber nur zufällig.

§ 300. Da nun in diesem Falle ein besonderes Verhältnis anzuknüpfen ist: so hat die Theorie zunächst zu bestimmen, ob es überall auf beiderlei Weise entstehen kann, von dem Bedürftigen aus und von dem Mitteilenden aus, oder unter welchen Verhältnissen welche Weise die richtige ist.[1])

Die große Verschiedenheit der Behandlung dieses Gegenstandes in verschiedenen Teilen der evangelischen Kirche ist bis jetzt weder konstruiert, noch beseitigt.

§ 301. Da ein solcher Verlust der Gleichheit aus innern Ursachen sich nur in einer Opposition zeigen kann gegen die erbauende oder die ordnende Tätigkeit: so ist demnächst zu bestimmen, ob und wie im Geist der evangelischen Kirche das Verfahren aus beiden Elementen (vgl. § 279) zusammenzusetzen ist; endlich auch, ob, wenn die Seelsorge ihren Zweck nicht erreicht, ihr Geschäft immer nur als noch nicht beendigt anzusehen ist, oder ob und wann und inwiefern der Zusammenhang der unempfänglich Gewordenen mit den Leitenden als aufgehoben kann angesehen werden.[2])

Die Aufhebung dieses Zusammenhanges zöge auch die des Zusammenhanges mit der Gemeine als solcher nach sich.

---

nun die Abweichung mehr im Theoretischen oder im Praktischen, wieder aufzuheben, ist die Seelsorge im engern Sinn.

[1]) S. 90. § 27. Da dieses Verhältnis angeknüpft werden kann teils von dem Klerus, teils von den Laien: so hat die Theorie zu bestimmen, welches unter welchen Umständen das rechte ist.

[2]) § 28. Da es enden kann entweder in Wiederherstellung, oder in Abbrechung bis auf weiteres, oder in gänzliche Trennung: so hat die Theorie zu zeigen, wie das erste möglichst zu befördern und das letzte möglichst zu verhüten sei, nebst den Grenzen dieser Möglichkeit.

§ 29. Äußerlich ist die Identität derer mit der Gemeine verletzt, welche außer Stand gesetzt sind, an ihrem gemeinsamen religiösen Leben teilzunehmen.

§ 302. In Hinsicht der durch die Wirksamkeit äußerer Ursachen notwendig gewordenen Seelsorge ist außer der ersten Aufgabe (vgl. § 300) nur noch zu bestimmen, wie die Übereinstimmung dieser amtlichen Wirksamkeit, die wesentlich die geistige Krankenpflege umfaßt, mit der geselligen der Empfänglichen aus der Gemeine zu erreichen ist.[1])

Denn das im § 301 in Frage Gestellte kann hier kaum streitig sein, da hier nur zu ergänzen ist, was durch den momentan aufgehobenen Anteil im gemeinsamen Leben versäumt wird. Die erbauende Tätigkeit grenzt hier zu nahe an das gewöhnliche Gespräch, um einer besonderen Theorie zu bedürfen.

§ 303. Die innerhalb der Gemeine anordnende Tätigkeit (vgl. § 290) erscheint in Beziehung auf die Sitte beschränkt, teils durch die umfassenderen Einwirkungen des Kirchenregimentes, teils durch die unabweisbaren Ansprüche der persönlichen Freiheit.

Man kann nur sagen: erscheint; denn die Leitenden müssen durch ihr eigenes persönliches Freiheitsgefühl zurückgehalten werden, nicht in dieses Gebiet einzugreifen. Eben dadurch aber sollten auch die Leitenden im Kirchenregiment abgehalten werden, nicht zentralisierend in das Gebiet der Gemeine einzugreifen.

§ 304. Da die evangelische Sitte ebenso wie die Lehre, im Gegensatz gegen die katholische Kirche, noch in der Entwicklung begriffen ist: so sind nur im allgemeinen Regeln aufzustellen, wie das Gesamtleben von einem gegebenen Zustande aus allmählich der Gestalt näher gebracht werden kann, welche der reiferen Einsicht der Vorgeschrittenen gemäß ist.

Der gegebene Zustand kann entweder noch unerkannt mancherlei vom Katholizismus in sich tragen, oder auch irrtümlich Schranken, welche das Christentum selbst stellt, überschritten haben.

§ 305. Da das Leben auch in der christlichen Gemeine zugleich durch gesellige und bürgerliche Verhältnisse bestimmt wird: so ist anzugeben, auf welche Weise auch in diesem

---

[1]) S. 90. § 30. Die Aufgabe der klerikalischen Krankenpflege geht also dahin, jenen Mangel so zu ergänzen, daß die innere Identität darunter nicht leide, sondern sich unter den gegebenen Umständen vollkommen offenbare.

Gebiet, so weit dies von lokalen Bestimmungen ausgehen kann, dem Einfluß des christlichen und evangelischen Geistes größere Geltung zu verschaffen ist.

Überall kann hier nur von der Verfahrungsweise die Rede sein, indem das Materielle der ordnenden Tätigkeit von der geltenden Auffassung der christlichen Lehre, besonders der Sittenlehre abhängt.

§ 306. Da von der ordnenden Tätigkeit auch die Aufforderungen zur Vereinigung der Kräfte ausgehen müssen zum Behuf aller solcher gemeinsamen Werke, welche in dem Begriff und Bereich der Gemeine liegen: so ist es wichtig, diese Grenze (vgl. § 303) zu bestimmen.

Die Aufgabe ist, dasjenige, was für die amtliche Wirksamkeit gehört, und beständig fortgeht, z. B. das ganze Gebiet des Diakonats im ursprünglichen Sinn, von dem zu scheiden, was nur von dem persönlichen Verhältnis einzelner Leitenden auf einen Teil der Masse ausgehen kann.

§ 307. Der Kirchendienst ist hier als Ein Gebiet behandelt worden, ohne die verschiedene mögliche Weise der Geschäftsverteilung irgend beschränken zu wollen.

Sonst hätten wir schon die Theorie der kirchlichen Verfassung vorwegnehmen müssen. Wir können daher auch hier nur nach alter Weise alle, die an den Geschäften des Kirchendienstes teilnehmen, in dem Ausdruck Klerus auf dieser Stufe zusammenfassen.

§ 308. Auch nur in dieser Allgemeinheit kann daher die Frage behandelt werden, ob und was für einen Einfluß das kirchliche Verhältnis zwischen Klerus und Laien auf das Zusammensein der ersten mit den letzten, sowohl in den bürgerlichen, als in den geselligen und wissenschaftlichen Verhältnissen werde zu äußern haben.[1])

---

[1]) S. 90. § 31. Kleriker und Laien sind nicht nur in der Gemeine und in Bezug auf sie zusammen, sondern auch im Staat, in den allgemeinen geselligen Verhältnissen, und bisweilen im wissenschaftlichen Verein.

S. 91. § 32. Inwiefern diese Verhältnisse dem Kirchlichen entweder förderlich sein können oder ihm entgegenwirken: so hat die Theorie der klerikalischen Amtsklugheit zu bestimmen, teils wie das Förderliche in ihnen vorzüglich könne gehoben und geltend gemacht werden; teils wie

Die Aufgaben, welche gewöhnlich unter dem Namen der Pastoralklugheit behandelt wurden, erscheinen hier als ganz untergeordnet, und ihre Lösung beruht auf der Erledigung der Frage, ob und welcher spezifische Unterschied stattfinde zwischen den Mitgliedern des Klerus, welche den Kultus leiten, und den übrigen.

Zweiter Abschnitt.
Die Grundsätze des Kirchenregimentes.

§ 309. Wenn das Kirchenregiment in der Gestaltung eines Zusammenhanges unter einem Komplexus von Gemeinden beruht: so ist zunächst die Mannigfaltigkeit der Verhältnisse, welche sich zwischen dem Kirchenregiment und den Gemeinden entwickeln können, zu verzeichnen, und zu bestimmen, ob durch den eigentümlichen Charakter der evangelischen Kirche einige Formen bestimmt ausgeschlossen oder andere bestimmt postuliert werden.

Es wird nämlich vorausgesetzt, daß die Gestaltung eines solchen Zusammenhanges weder dem Wesen des Christentums widerspricht, noch die Selbsttätigkeit der Gemeinen aufhebt.

§ 310. Da die Art und Weise, wie sich die überwiegend Selbsttätigen in einem solchen geschlossenen Komplexus zur Ausübung des Kirchenregiments gestalten, und wie sich dessen Wirksamkeit und die freie Selbsttätigkeit der Gemeinen gegenseitig erregt und begrenzt, die innere Kirchenverfassung bildet: so hat die obige Aufgabe die Tendenz, diese für die evangelische Kirche, sowohl in ihrer Mannigfaltigkeit, als in ihrem Gegensatz gegen die katholische, auf Grundsätze zurückzuführen.[1])

---

der Streit zwischen ihnen entweder rein aufzulösen ist, oder, wenn nicht, wie die andern Verhältnisse dem kirchlichen so unterzuordnen sind, daß es nicht unter ihnen leide.

[1]) S. 77. § 1. *Da das Kirchenregiment bei Protestanten und Katholiken auf eine ganz verschiedene Weise geführt wird: so kann auch jede Theorie*

Die Lösung muß einerseits auf dogmatische Sätze zurückgehen, und kann andererseits nur durch zweckmäßigen Gebrauch der Kirchengeschichte und der kirchlichen Statistik gelingen.

§ 311. Da die evangelische Kirche dermalen nicht Einen Komplexus von Gemeinen bildet, und in verschiedenen auch die innere Verfassung eine andere ist, die Theologie hingegen für alle dieselbe sein soll: so muß die Theorie des Kirchenregimentes ihre Aufgaben so stellen, wie sie für alle möglichen evangelischen Verfassungen dieselben sind, und von jeder aus können gelöst werden.

Das dermalen soll nur bevorworten, daß die Unmöglichkeit einer jeden äußeren Einheit der evangelischen Kirche wenigstens nicht entschieden ist.

§ 312. Da jedes geschichtliche Ganze nur durch dieselben Kräfte fortbestehen kann, durch die es entstanden ist: so besteht das evangelische Kirchenregiment aus zwei Elementen, dem gebundenen, nämlich der Gestaltung des Gegensatzes für den gegebenen Komplexus, und dem ungebundenen, nämlich der freien Einwirkung auf das Ganze, welche jedes einzelne Mitglied der Kirche versuchen kann, das sich dazu berufen glaubt.[1])

---

desselben unmittelbar und in gleichem Sinne nur für eine von beiden Parteien gelten.

S. 77. § 2. *Jede also, die in dieser Periode ihre Anwendung finden will, muß sich an die letzten Resultate der philosophischen Theologie (I. Erste Abt. 9—12 [S. 22f. dieser Ausgabe]) anschließen, um das klare Bewußtsein von diesem Gegensatz und seiner Bedeutung zum Grunde zu legen.*

§ 3. *Dieses klare Bewußtsein fehlt nicht nur, wenn man den innern Grund der Verschiedenheit beider Parteien verkennt, sondern eben so sehr, wenn man alles, was sich in beiden verschieden gestaltet, voreiliger Weise als notwendig aus dem Gegensatz entsprungen betrachtet.*

[1]) S. 78. § 4. Wenn auch mit und aus dem Gegensatz zwischen Klerus und Laien sich in der Kirche eine äußere Autorität konstituiert hat: so kann doch nicht alle zum Kirchenregiment gehörige Tätigkeit auch von ihr ausgehn; sondern es gibt dann eine Tätigkeit der Kirchengewalt und eine Tätigkeit einzelner, welche oder sofern sie nicht zur Kirchengewalt gehören.

Die evangelische Kirche, nicht nur in Bezug auf die Berichtigung der Lehre, sondern auch ihre Verfassung oder ihr gebundenes Kirchenregiment, ist ursprünglich aus dieser freien Einwirkung entstanden, ohne welche auch, da das gebundene mit der Verfassung identisch ist, eine Verbesserung der Verfassung denkbarer Weise nicht erfolgen könnte. — Damit die letzte Bestimmung nicht tumultuarisch erscheine, muß nur bedacht werden, daß, wenn sich einer, der nicht zu den überwiegend Produktiven gehört, doch berufen glauben sollte, der Versuch von selbst in nichts zerfallen würde.

§ 313. Beide können nur denselben Zweck haben (vgl. § 25), die Idee des Christentums nach der eigentümlichen Auffassung der evangelischen Kirche in ihr immer reiner zur Darstellung zu bringen, und immer mehr Kräfte für sie zu gewinnen. Das organisierte Element aber, die kirchliche Macht oder richtiger Autorität, kann dabei ordnend oder beschränkend auftreten, das nicht organisierte oder die freie geistige Macht nur aufregend und warnend.[1])

Einverstanden jedoch, daß auch der kirchlichen Macht jede äußere Sanktion für ihre Aussprüche fehlt; sodaß der Unterschied wesentlich darauf hinausläuft, daß diese als Ausdruck des Gemeingeistes und Gemeinsinnes wirken, die freie geistige Macht aber etwas erst in den Gemeinsinn und Gemeingeist bringen will.

§ 314. Der Zustand eines kirchlichen Ganzen ist desto befriedigender, je lebendiger beiderlei Tätigkeiten ineinander greifen, und je bestimmter auf beiden Gebieten mit dem Bewußtsein ihres Gegensatzes gehandelt wird.[2])

---

[1]) S. 78. § 5 [vgl. § 314 Anm. der zweiten Auflage]. *Die Kirchengewalt geht natürlich im ganzen mehr auf Erhaltung und Ausbildung des durch die letzte Epoche schon Fixierten, die einzelnen mehr auf die fortschreitende Vorbereitung des Folgenden.*

§ 6. *Ebenso zeigt sich in der Tätigkeit der Kirchengewalt mehr das Übergewicht des religiösen Interesse, in der auf das Ganze gerichteten Tätigkeit der einzelnen mehr das Übergewicht des wissenschaftlichen Geistes.*

[2]) § 7. Auf beiden Gebieten muß mit dem Bewußtsein des Gegensatzes, den sie bilden, gehandelt werden.

§ 8. Beide Tätigkeiten müssen aber auch gegenseitig in einander greifen, wenn das Kirchenregiment vollkommen sein soll.

S. 79. § 9. *Die natürlichen Aufgaben für das Kirchenregiment sind in*

Die kirchliche Autorität hat also zu vereinigen, und die Theorie muß die Formel dafür (vgl. § 310) aufsuchen, wie ihr überwiegend obliegt, das durch die letzte Epoche gebildete Prinzip zu erhalten und zu befestigen, zugleich aber auch die Äußerungen freier Geistesmacht zu begünstigen und zu beschützen, welche allein die Anfänge zu umbildenden Entwicklungen hervorbringen kann. Ebenso für die freie Geistesmacht, wie sie, ohne der Stärke der Überzeugung etwas zu vergeben, sich doch mit dem begnügen könne, was durch die kirchliche Autorität ins Leben zu bringen ist.

§ 315. Da ein größerer kirchlicher Zusammenhang nur stattfinden kann bei einem gewissen Grade von Gleichheit oder einer gewissen Leichtigkeit der Ausgleichung unter den ihn konstituierenden Gemeinden: so hat auch überall die kirchliche Autorität einen Anteil an der Gestaltung und Aufrechthaltung des Gegensatzes zwischen Klerus und Laien in den Gemeinen.

Nämlich nur einen Anteil, weil die Gemeine früher ist, als der kirchliche Nexus, und weil sie nur ist, sofern dieser Gegensatz in ihr besteht

§ 316. Da dieser Anteil ein Größtes und ein Kleinstes sein kann: so hat die Theorie diese Verschiedenheit erst zu fixieren, und dann zu bestimmen, welchen anderweitigen Verhältnissen und Zuständen jede Weise zukomme, und ob sie dieselbige sei für alle Funktionen des Kirchendienstes oder eine andere für andere.

Denn daß in diesem scheinbar stetigen Übergang vom Kleinsten zum Größten sich doch gewisse Punkte als Hauptunterschiede feststellen lassen, versteht sich aus allen ähnlichen Fällen von selbst.

§ 317. Da ferner jene Gleichheit weder als unveränderlich, noch als sich immer von selbst wiederherstellend an-

---

beiden Kirchenparteien dieselben der Form nach; sie geben aber bei der Auflösung in jeder ein verschiedenes Resultat dem Inhalte nach, weil die Bedingungen verschieden sind.

S. 79. § 10 [= § 313 der zweiten Auflage, erste Hälfte]. *Alles, was zur Darstellung der Idee des Christentums in der Kirche gehört, mag es nun auf das innerste Wesen desselben, oder auch nur auf seine natürlichen äußeren Verhältnisse sich beziehen, ist ein Gegenstand des Kirchenregimentes.*

gesehen werden kann, mithin sie zugleich ein Werk der kirchlichen Autorität sein muß: so ist die Art und Weise, diesen Einfluß auszuüben, das heißt der Begriff der kirchlichen Gesetzgebung, zu bestimmen.[1])

Zugleich; weil sie nämlich in gewissem Sinne schon vorhanden sein muß vor der kirchlichen Autorität. — Der Ausdruck Gesetzgebung bleibt, weil die kirchliche Autorität ebenfalls aller äußeren Sanktion entbehrt, immer ungenau.

§ 318. Da nun diese Gleichheit zunächst nur erscheinen kann im Kultus und in der Sitte, beide aber an sich der adäquate Ausdruck der an jedem Orte herrschenden Frömmigkeit sein sollen: so entsteht die Aufgabe, beides durch die kirchliche Gesetzgebung zu vereinigen und vereint zu erhalten.[2])

Es liegt in der Natur der Sache, daß dies nur durch Annäherung geschehen kann, und daß also die Theorie vorzüglich darauf sehen muß, das Schwanken zwischen dem Übergewicht des einen und des andern in möglichst enge Grenzen einzuschließen.

§ 319. Da beide nur, sofern sie sich selbst gleich bleiben, als Ausdruck der kirchlichen Einheit fortbestehen können, alles aber, was und sofern es Ausdruck und Darstellungsmittel ist, seinen Bedeutungswert allmählich ändert: so entsteht die Aufgabe für die Gesetzgebung, sowohl die Freiheit und Beweglichkeit von beiden anzuerkennen, als auch ihre Gleichförmigkeit zu begründen.[3])

---

[1]) S. 79. § 11. Die Tätigkeit der Kirchengewalt im Kirchenregiment ist vorzüglich eine gesetzgebende.

[§§ 12—14 siehe zu §§ 320 u. 321 der zweiten Auflage.]

[2]) S. 80. § 15. Die Gesetzgebung für den Kultus muß darauf gerichtet sein, daß er der adäquate Ausdruck des religiösen Sinnes, je länger, je mehr, werde und bleibe.

[3]) § 16. Insofern der religiöse Sinn sich mannigfaltig modifiziert, und alles, was Ausdruck ist, seinen Wert und Bedeutsamkeit allmählich wechselt, muß auch der Kultus sich mannigfaltig gestalten können nach Erfordernis von Ort und Zeit, und also muß statutarisch begründet werden seine Freiheit und Beweglichkeit.

§ 17. Insofern der religiöse Sinn in einer Kirchenpartei immer

Hiedurch muß sich zugleich auch das Verhältnis der kirchlichen Autorität zum Kirchendienst in der Konstitution des Kultus und der Sitte wenigstens in bestimmte Grenzen einschließen.

§ 320. Der kirchlichen Autorität muß ferner geziemen, im Falle einer Opposition in den Gemeinen, rühre sie nun her (vgl. § 299) von einzelnen, aus der Einheit mit dem Ganzen Gefallenen, oder von zurückgetretener Einheit überhaupt, als höchster Ausdruck des Gemeingeistes, den Ausschlag zu geben, wenn innerhalb der Gemeine keine Einigung zu erzielen ist.[1])

Geltend wird dieser Ausschlag immer nur, sofern auch die Opponenten nicht aufhören wollen, in diesem kirchlichen Verein ihren christlichen Gemeinschaftstrieb zu befriedigen.

§ 321. Insofern die kirchliche Autorität hierauf entweder durch allgemeine Bestimmungen einwirkt, oder wenigstens solchen folgt, wo sie einzeln zutritt, muß hier die Frage erledigt werden, ob und unter welchen Verhältnissen in einem evangelischen Kirchenverein Kirchenzucht stattfinde oder auch Kirchenbann.[2])

Letzterer nämlich, sofern die Aufhebung des Verhältnisses eines einzelnen

---

und überall sich gleich ist, und der Kultus auch dessen Einheit auszudrücken hat, muß er überall erkannt werden können als diese Partei repräsentierend, und also hat man statutarisch zu begründen seine Gleichförmigkeit.

S. 81. § 18. Soll beides in einer Gesetzgebung notwendig verbunden sein: so darf die Freiheit nie in Willkür und Subjektivität ausarten können, und die Gleichförmigkeit sich nie in tote Form verwandeln.

[1]) S. 79. § 12. In Absicht auf das religiöse Leben überhaupt hat die Kirchengewalt zu bestimmen, wie das Krankhafte, was sich in der sichtbaren Kirche erzeugt, aus derselben auszuscheiden ist.

[2]) § 13. Die Aufgabe, ein Verfahren zu finden, welches auf das Fremdartige wirkt, ohne selbst ein Fremdartiges zu sein, muß, richtig gelöst, die wahre Kirchenzucht darstellen.

S. 80. § 14. Wie aber eine ausschließende Gewalt geübt werden kann, ohne eine fremde äußere Sanktion zu Hilfe zu nehmen, dies muß dargestellt werden durch den Kirchenbann.

[§§ 15—18 siehe zu §§ 318 u. 319 der zweiten Auflage.]

zur Gemeine oder zum Kirchenverein von der Autorität ausgesprochen werden kann. Ersteres, insofern eine stattgehabte Opposition nur durch eine öffentliche Anerkennung ihrer Unrichtigkeit solle beendigt werden können.

§ 322. Über das Verhältnis der kirchlichen Autorität zu dem Lehrbegriff machen sich noch so entgegengesetzte Ansichten geltend, daß es unmöglich scheint, einen gemeinsamen Ausgangspunkt zu finden, sodaß eine Theorie nur bedingterweise kann aufgestellt werden.

Ja, es möchte sogar nicht einmal leicht sein, die Parteien zum Einverständnis über den Ort, wo der Streit entschieden werden sollte, mithin gleichsam zur Wahl eines Schiedsrichters zu bringen.

§ 323. Ausgehend einerseits davon, daß der evangelische Kirchenverein entstanden ist mit und fast aus der Behauptung, daß keiner Autorität zustehe, den Lehrbegriff festzustellen oder zu ändern, andererseits davon, daß wir, ungeachtet der Mehrheit evangelischer Kirchenvereine, welche verschiedenen Maximen folgen, doch Eine evangelische Kirche und eine diese Einheit bezeugende Lehrgemeinschaft anerkennen: glauben wir die Aufgabe nur so stellen zu dürfen. Es sei zu bestimmen, wie die kirchliche Autorität eines jeden Vereins, anerkennend, daß Änderungen in den Lehrsätzen und Formeln nur entstehen dürfen aus den Forschungen einzelner, wenn diese in die Überzeugung der Gemeine aufgenommen werden, diese Wirksamkeit der freien Geistesmacht beschützen, zugleich aber die Einheit der Kirche in den Grundsätzen ihres Ursprungs festhalten könne.[1])

Natürlich soll keineswegs ausgeschlossen werden, daß nicht dieselben, welche als kirchliche Autorität wirken, auch könnten die Wirksamkeit der freien Forschung ausüben; sondern nur um so strenger ist darauf

---

[1]) S. 81. § 19. Die immer fortgehende Bildung des Lehrbegriffs geht von den Tätigkeiten der einzelnen aus.

§ 20. Die gesetzgebende Tätigkeit der Kirchengewalt muß den einzelnen ihre freie Wirksamkeit auf diesem Gebiet sichern, und doch zugleich die Lehre an dem Symbol, durch welches sie konstituiert ist, festhalten.

zu halten, daß sie dies nicht in der Weise und unter der Firma der kirchlichen Autorität tun. — Ganz entgegengesetzt aber muß die Aufgabe gestellt werden, wenn man von der Voraussetzung ausgeht, daß die Kirche nur durch eine in einem anzugebenden Grade genaue Gleichförmigkeit der Lehre als Eine bestehe.

§ 324. Das Obige (vgl. § 322) gilt auch von den Rechten und Obliegenheiten der kirchlichen Autorität in Bezug auf die Verhältnisse der Kirche zum Staat, indem keine Handlungsweise, welche irgend vorgeschrieben werden könnte, sich einer allgemeinen Anerkennung erfreuen würde.[1])

Nur dies scheint bemerklich zu sein, daß da, wo die evangelische Kirche gänzlich vom Staat getrennt ist, niemand andere Wünsche hegt; da aber, wo eine engere Verbindung zwischen beiden stattfindet, die Meinungen in der Kirche geteilt sind.

§ 325. Ausgehend einerseits davon, daß, wenn die Kirche nicht will eine weltliche Macht sein, sie auch nicht darf in die Organisation derselben verflochten sein wollen, andererseits davon, daß, was Mitglieder der Kirche, welche an der Spitze des bürgerlichen Regiments stehn, in dem kirchlichen Gebiet tun, sie doch nur in der Form der Kirchenleitung tun können, vermögen wir die Aufgabe nur so zu stellen. Es sei zu bestimmen, auf welche Weise die kirchliche Autorität unter den verschiedenen gegebenen Verhältnissen dahin zu wirken habe, daß die Kirche weder in eine kraftlose Unabhängigkeit vom Staat, noch in eine wie immer angesehene Dienstbarkeit unter ihm gerate.[2])

---

[1]) S. 81. § 21. Die Kirchengewalt hat ferner, durch ihre gesetzgebende Tätigkeit von Seiten der Kirche, deren Verhältnis zum Staat zu bewahren oder zu berichtigen.

§ 22. Das Verhältnis beider zu einander ist nie als ein reines ruhiges Gleichgewicht vorauszusetzen.

[2]) S. 82. § 23. Die Aufgabe ist daher, den etwanigen Eingriffen des Staats in das Gebiet der Kirche abzuhelfen, selbst aber keine Eingriffe in in das seinige zu tun.

§ 24. Die Theorie des Kirchenregiments hat zu zeigen, wie man dahin gelangen könne, daß das Verhältnis der Kirche zum Staat weder eine kraftlose Unabhängigkeit sei, noch eine angesehene Dienstbarkeit.

Die Theorie ist höchst schwierig aufzustellen, und gewährt doch wenig Ausbeute, weil, wenn die kirchliche Autorität schon eine Verschmelzung der Kirche mit der politischen Organisation oder eine den Einfluß äußerer Sanktion benutzende Verfahrungsart in kirchlichen Angelegenheiten vorfindet, sie unter ihrer Form nur indirekt dagegen wirken kann, alles andere aber von den allmählichen Einwirkungen der freien Geistesmacht erwarten muß. — Und wie wenig Übereinstimmung auch in den ersten Grundsätzen ist, wird am besten daraus klar, daß, wo die Kirche sich in einer Dienstbarkeit ohne Ansehen befindet, immer einige vorziehen werden, in der Dienstbarkeit Ansehen zu erwerben, andere aber unangesehen zu bleiben, wenn sie nur unabhängig werden können.

§ 326. Dieselbe Aufgabe kehrt noch in einer besonderen Beziehung wieder, wenn der Staat die gesamte Organisation der Bildungsanstalten in die seinige aufgenommen hat, indem alsdann in Beziehung auf die geistige Bildung, durch welche allein sowohl der evangelische Kultus erhalten werden, als auch eine freie Geistesmacht in der Kirche bestehen kann, ebenfalls kraftlose Unabhängigkeit oder wohlhabende Dienstbarkeit drohen.

Für dieses Gebiet kann unter ungünstigen Umständen sehr leicht das schwierige und nicht auf einfache Weise zu lösende Dilemma entstehen, ob der Kirchenverein sich solle mit dem, wenn auch noch so dürftigen Apparat begnügen, den er sich unabhängig erwerben und bewahren kann, oder ob er es wagen solle, auch aus mit nicht-evangelischen Elementen versetzten Quellen zu schöpfen.

§ 327. Da die verschiedenen für sich abgeschlossenen Gemeinvereine, welche zusammen die evangelische Kirche bilden, teils durch äußerliche, der Veränderung unterworfene Verhältnisse, teils durch Differenzen in der Sitte oder Lehre, deren Schätzung ebenfalls der Veränderung unterworfen ist, gerade so begrenzt sind, die meisten aber sich durch diese Begrenzung an ihrer Selbständigkeit gefährdet finden: so entsteht die Aufgabe für jeden von ihnen, sich einem genaueren Zusammenhang mit den übrigen offen zu halten und ihn in seinem Innern vorzubereiten, damit keine günstige Gelegenheit, ihn hervorzurufen, versäumt werde.

Diese Aufgabe bezeichnet zugleich das Ende des Gebietes der kirchlichen Autorität; denn nicht nur stirbt mit der Lösung der Aufgabe jedes bisherige Kirchenregiment seinem abgesonderten Sein ab, sondern auch die Lösung selbst, weil sie über das Gebiet der abgeschlossenen Autorität hinausgeht, kann nur durch die Wirksamkeit der freien Geistesmacht hervorgerufen werden.

§ 328. Da das ungebundene Element des Kirchenregimentes (vgl. § 312), welches wir durch den Ausdruck freie Geistesmacht in der evangelischen Kirche bezeichnen, als auf das Ganze gerichtete Tätigkeit einzelner, eine möglichst unbeschränkte Öffentlichkeit, in welcher sich der einzelne äußern kann, voraussetzt: so findet es sich jetzt vornehmlich in dem Beruf des akademischen Theologen und des kirchlichen Schriftstellers.[1])

Bei dem ersten Ausdruck ist nicht gerade an die nur zufällige, jetzt noch bestehende Form zu denken; doch wird immer eine mündliche, große Massen der zur Kirchenleitung bestimmten Jugend vielseitig anregende Überlieferung etwas höchst Wünschenswertes bleiben. — Unter dem letzten sind in dieser Beziehung diejenigen nicht mit begriffen, welche nur ihre Verrichtungen im Kirchendienst auf die Schrift übertragen.

§ 329. Beide werden ihre allgemeinste Wirkung (vgl. §§ 313, 314) nur in dem Maß vollbringen, als sie dem Begriff des Kirchenfürsten (vgl. § 9) nahe kommen.

Des in § 9 erwähnten Gleichgewichts bedürfen beide um so weniger, als sie sich mit ihrer Produktion in dem Gebiet einer besonderen wissenschaftlichen Virtuosität bewegen. Aber in demselben Maß werden sie auch keine allgemeine anregende Wirkung auf das Kirchenregiment ausüben.

§ 330. Da der akademische Lehrer in der von religiösem Interesse vorzüglich belebten Jugend den wissenschaftlichen Geist in seiner theologischen Richtung erst recht zum Bewußtsein bringen soll: so ist die Methode anzugeben, wie

---

[1]) S. 82. § 25. Die auf das Ganze gerichtete Tätigkeit der einzelnen ist im gegenwärtigen Zustande der Kirche nur die des akademischen Lehrers und die des Schriftstellers.

dieser Geist zu beleben sei, ohne das religiöse Interesse zu schwächen.[1])

Wie wenig man noch im Besitz dieser Methode ist, lehrt eine nur zu zahlreiche Erfahrung. Es bleibt übrigens dahingestellt, ob diese Methode eine allgemeine sei, oder ob es bei verschiedenen Disziplinen auf Verschiedenes ankommt.

§ 331. Da das Vorhandene um so weniger genügt, als*) der wissenschaftliche Geist die einzelnen Disziplinen durchdringt: so ist eine Verfahrungsweise aufzustellen, wie die Aufmunterung und Anleitung, um die theologischen Wissenschaften weiter zu fördern, zugleich zu verbinden sei mit der richtigen Wertschätzung der bisherigen Ergebnisse, und mit treuer Bewahrung des dadurch in der Kirche niedergelegten Guten.[2])

Eine gleiche Erfahrung bewährt hier denselben Mangel, und unleugbar kommt von der allzuscharfen Spannung zwischen denen, welche Neues bevorworten, und denen, welche sich vor dem Alten beugen, vieles auf Rechnung der Lehrweise.

§ 332. Sofern die schriftstellerische Tätigkeit auf Bestreitung des Falschen und Verderblichen gerichtet ist: so ist dem theologischen Schriftsteller besonders die Methode anzugeben, wie er sowohl das Wahre und Gute, woran sich jenes findet und womit es zusammenhängt, nicht nur auffinden, sondern auch zur Anerkenntnis bringen kann, als auch dem Eigentümlichen, worin es erscheint, seine Beziehung auf das kirchliche Bedürfnis anweisen.[3])

---

[1]) S. 82. § 26. Da mit dem akademischen Studium der wissenschaftliche Geist erst recht zum Bewußtsein kommt: so hat die Theorie für den akademischen Lehrer die Aufgabe zu lösen, wie er den wissenschaftlichen Geist zu beleben habe, ohne das religiöse Interesse zu schwächen.

[2]) § 27. Da in dem Maß, als erkannt wird, was noch zu leisten ist, das Bisherige nicht genügt: so ist auch die Aufgabe zu lösen, wie zum persönlichen Vorwärtsbringen aufzumuntern sei, ohne die Anhänglichkeit an das in der Kirche Bestehende zu zerstören.

[3]) S. 83. § 28. Inwiefern die Tätigkeit des Schriftstellers die Bestreitung der Irrtümer zum Zweck hat, das Falsche aber immer nur an dem Wahren

*) = je mehr.

Der Satz, daß aller Irrtum nur an der Wahrheit ist, und alles Schlechte nur am Guten, ist die Grundbedingung alles Streites und aller Korrektion. Der letzte Teil der Aufgabe ruht einerseits auf der Voraussetzung, daß Irriges und Schädliches, wenn nicht durch Eigentümlichkeit getragen, wenig Einfluß ausüben kann, andererseits auf der, daß alle Gaben in der Kirche sich erweisen können zum gemeinen Nutzen.

§ 333. Sofern sie Neues zur Anerkenntnis bringen und empfehlen will, wäre eine Formel zu finden, wie die Darstellung des Gegensatzes zwischen dem Neuen und Alten, und die des Zusammenhanges zwischen beiden, sich am besten unterstützen können.[1])

Denn ohne Gegensatz wäre es nicht neu, und ohne Zusammenhang wäre es nicht anzuknüpfen.

§ 334. Da die öffentliche Mitteilung sich leicht weiter verbreitet, als sie eigentlich verstanden wird: so entsteht die Aufgabe, jene Darstellung so einzurichten, daß sie nur für diejenigen einen Reiz hat, von denen auch ein richtiger Gebrauch zu erwarten ist.[2])

---

sein kann: so ist die besondere Aufgabe des theologischen Schriftstellers, das Wahre und Gute, wovon der Irrtum ausgegangen ist, zu schonen.

[1]) S. 83. § 29. Insofern sie auf Verbreitung neuer Ansichten ausgeht, jedes Neue aber im Gegensatz gegen ein Altes steht: so ist die Aufgabe, das Neue so darzustellen, daß der Gegensatz weder verfehlt, noch zu weit ausgedehnt werde.

[2]) § 30. Im allgemeinen, da die Mittel der wissenschaftlichen Mitteilung an sich weiter reichen, als das Gebiet, in dem sie im eigentlichen Sinne verstanden wird, und da jeder Lesende von dem Seinigen bei der Auslegung dazutut: so ist die Aufgabe, die Darstellung so einzurichten, daß sie sich nicht weiter verbreitet, als sie nützen kann, und daß sie nicht anders ausgelegt wird, als sie gemeint war.

S. 84. § 31. *Beide, die Kirchengewalt und die einzelnen, müssen sich der Grenzen ihrer Tätigkeit im Kirchenregiment bewußt sein, um desto richtiger ineinander zu greifen.*

§ 32. *Da die Kirchengewalt weder im vollen Bewußtsein dieses engeren Gegensatzes, noch des weiteren zwischen Klerus und Laien konstituiert worden ist: so muß sie sich selbst beweglich erhalten, um der fortschreitenden Einsicht zu entsprechen und sich als vollen Ausdruck der jedesmaligen religiösen Kraft zu erhalten.*

Die sonst hiezu fast ausschließend empfohlene und angewendete Regel, sich bei Darstellungen, von denen Mißdeutung oder Mißbrauch zu erwarten ist, nur der gelehrten Sprache zu bedienen, ist den Verhältnissen nicht mehr angemessen.

Schlußbetrachtungen
über die praktische Theologie.

§ 335. Von der Scheidung zwischen dem, was jedem obliegt, und dem, was eine besondere Virtuosität konstituiert, konnte hier keine Erwähnung geschehen.[1])

Denn sie kann nur auf zufälligen oder fast persönlichen Beschränkungen beruhen, und ergibt sich dann von selbst. An und für sich betrachtet, kann jeder zur Kirchenleitung Berufene auf jede Weise wirksam sein; und es gibt nicht sowohl verschiedene trennbare Gebiete, als nur verschiedene Grade erreichbarer Vollkommenheit.

§ 336. Die Aufgaben, zumal im Gebiet des Kirchenregiments, wird derjenige am richtigsten stellen, der sich seine philosophische Theologie am vollkommensten durchgebildet hat. Die richtigsten Methoden werden sich demjenigen darbieten, der am vielseitigsten auf geschichtlicher Basis in der Gegenwart lebt. Die Ausführung muß am meisten durch Naturanlagen und allgemeine Bildung gefördert werden.[2])

---

[1]) S. 91. § 1. Da kein Theologe ohne allen Anteil der leitenden Tätigkeit ist, keiner aber auch alle Teile derselben umfaßt: so liegt jedem ob, von der praktischen Theologie dasjenige inne zu haben, woraus das richtige Verhältnis eines jeden Teils der Praxis zum Ganzen sich erkennen läßt: so wie die Theorie jeder einzelnen Art der Tätigkeit das Gebiet des Besondern bildet.

[2]) § 2. Das Allgemeine der praktischen Theologie wird der am klarsten sehen, der sich die philosophische Theologie am meisten angeeignet hat; das Besondere und der Ausführung Nächste wird jeder um so sicherer finden, je geschichtlicher er in der Gegenwart lebt.

Wenn nicht alles, was in dieser enzyklopädischen Darstellung auseinander gelegt ist. hier gefordert würde, so wäre sie unrichtig, so wie die Forderung unrichtig wäre, wenn sie etwas enthielte, was in keiner enzyklopädischen Darstellung enthalten sein kann.

§ 337. Der Zustand der praktischen Theologie als Disziplin zeigt, daß, was im Studium jedes einzelnen das Letzte ist, auch als das Letzte in der Entwicklung der Theologie überhaupt erscheint.[1])

Schon deshalb, weil sie die Durchbildung der philosophischen Theologie (vgl. §§ 66 und 259) voraussetzt.

§ 338. Da sowohl der Kirchendienst, als das Kirchenregiment, in der evangelischen Kirche wesentlich durch ihren Gegensatz gegen die römische bedingt ist: so ist es die höchste Vollkommenheit der praktischen Theologie, beide jedesmal so zu gestalten, wie es dem Stande dieses Gegensatzes zu seinem Kulminationspunkte angemessen ist.[2])

Hiedurch geht sie besonders auf die höchste Aufgabe der Apologetik (vgl. § 53) zurück.

---

[1]) S. 92. § 3. Schon hieraus läßt sich schließen, was auch die Erfahrung ergibt, daß die praktische Theologie, und besonders die Theorie des Kirchenregiments im engeren Sinne, noch nirgends recht ausgebildet sein kann. Was im Studium eines jeden einzelnen das letzte ist, erscheint auch als das letzte in der Entwicklung der Theologie überhaupt.

[2]) § 4. Theorie des Kirchenregimentes sowohl, als des Kirchendienstes ist notwendig in jeder herrschenden Kirchenpartei eine andere.

§ 5. Die höchste Aufgabe für diese Theorie ist daher auch, sie so zu stellen, daß der jedesmal bestehende Gegensatz der Parteien durch ihre Ausübung weder erschlaffen könne, noch auch über seine natürliche Dauer auf künstliche Art verlängert werde, um sich zu überleben. Hiedurch schließt sich die höchste Aufgabe für die praktische Theologie unmittelbar an die höchste der ersten theologischen Disziplin, nämlich der Apologetik.

Register.

Anm. Die mit Seitenzahlen versehenen Paragraphen beziehen sich auf den Text der ersten Auflage. Die eingeklammerten Ziffern bezeichnen die Seiten dieser Ausgabe. Zu den angeführten Paragraphen der zweiten Auflage ist regelmäßig der Text der ersten zu vergleichen.